D0423879

QUI ES-TU?

Dépôt légal:

Bibliothèque Nationale du Québec

Bibliothèque Nationale du Canada

Quatrième trimèstre 1988

ISBN: 2-920932-01-2

Cinquième édition

Édition revisée décembre 1990

Publié par:

Les Éditions E.T.C. inc.

9675 ave. Papineau, suite 380

Montréal, Canada

H2B 1Z5

LISE BOURBEAU

L'AUTEUR DU BEST-SELLER

ÉCOUTE TON CORPS, TON PLUS GRAND AMI SUR LA TERRE

ÉDITIONS E.T.C. INC.

REMERCIEMENTS

Merci aux milliers de lecteurs qui ont lu mon premier livre.

Le grand nombre de témoignages reçus spontanément des gens lors de mes déplacements, de même que ceux de personnes qui m'ont contactée par téléphone ou par lettre m'a donné le coup de pouce nécessaire à l'élaboration de ce deuxième livre.

Merci infiniment à tous ceux et celles qui ont collaboré à sa réalisation: Jean-Pierre Doyon, Michel Jasmin, Odette Pelletier, Sylvie Sallard, Francis Leroux, Pierre Nadeau, Ghislaine Gilbert et Johanne Jetté. De plus, je ne pourrais passer sous silence la précieuse complicité de mon **DIEU** intérieur, **LA SOURCE**!!!

Un gros merci à tous ceux et celles qui utiliseront les connaissances contenues dans ce livre pour travailler à découvrir le bonheur en eux et aider à le répandre autour d'eux.

Je dédie ce livre à mes trois enfants, Alan, Tony et Monica qui sont toujours des guides merveilleux pour moi sur le plan de l'amour.

PRÉFACE

Il y a un an, j'écrivais la préface de mon premier livre: **"ECOUTE TON CORPS, ton plus grand ami sur la terre"**. Je suis très heureuse maintenant d'écrire la préface d'un deuxième livre: **"QUI ES-TU?"**

Je me permets de te tutoyer comme je l'ai fait dans mon premier livre et je désire aussi continuer d'être ta grande amie. Je te recommande beaucoup de lire mon premier livre si tu ne l'as pas déjà fait: tu pourras alors comprendre plus facilement les notions exposées dans ce livre-ci.

Tu réaliseras, au fil de ta lecture, que ce livre est écrit au **féminin**. Cela ne veut pas dire que je m'adresse aux femmes exclusivement. Le féminin est utilisé ici en rapport avec le principe féminin qui est une constituante de l'âme de chaque individu, peu importe son sexe. Tout au long de mes recherches, j'ai constaté que les hommes aussi bien que les femmes avaient beaucoup trop développé leur principe masculin au cours de l'ère matérialiste dont nous émergeons à peine.

Le principe féminin est la partie de l'être humain qui porte à s'abandonner, à faire des choses irrationnelles, à suivre son intuition, à être en contact avec son pouvoir de créer, à démontrer de la tendresse, de la douceur. Cependant, les femmes ont voulu prouver aux hommes qu'elles étaient capables de force et de courage. Ceci est une des caractéristiques du principe masculin, tout comme l'utilisation de l'aspect rationnel de l'intellect. Le principe féminin doit créer les idées et le principe masculin utilise sa raison pour exécuter ces idées. Tant que l'homme ou la femme essaie d'avoir le pouvoir sur quelqu'un d'autre, cette personne n'est pas en contact avec son propre pouvoir. Le jour où nous serons parvenus à exprimer ces deux principes de façon équilibrée, l'harmonie règnera en soi et partout autour.

Chaque chapitre de ce livre se terminera par une pensée qui te semblera choisie tout spécialement pour toi. Je te suggère fortement de faire un exercice de concentration sur cette pensée. Cet exercice produira un effet optimum s'il est fait pendant au moins vingt minutes chaque jour pendant les sept jours qui suivent la lecture de chaque chapitre. Il doit se faire dans une pièce où tu es seule. Tu t'assois confortablement et le plus droite possible sur une chaise ou dans un fauteuil en étant attentive à ne pas appuyer ta tête. Tu croises tes mains et tes pieds afin que le courant énergétique s'établisse de gauche à droite en toi, et réunisse ainsi tes principes féminin et masculin. Tu verras peu à peu s'augmenter ta force physique et ton pouvoir de concentration.

Tout en concentrant ton esprit sur la pensée, tu portes ton attention sur ta respiration. A chaque inspiration, tu vois de la lumière blanche pénétrer dans ton corps et se diriger vers ton coeur. Et, à chaque expiration, tu envoies cette belle lumière brillante qui représente l'amour inconditionnel à tous ceux que tu aimes. Ainsi, à chaque respiration tu reçois et tu donnes de l'amour. Cet exercice de respiration va t'aider énormément à te détendre, et ta concentration sur la pensée du jour en sera supérieure.

Je suis avec toi tout au long de ce voyage intérieur que tu entreprends ainsi que ton **DIEU** intérieur qui te guidera dans ton interprétation et ta compréhension de ce qui suit. De tout mon coeur je souhaite que ce livre t'aide à te mieux connaître et à **découvrir ainsi la personne extraordinaire qui est en toi. Il te sera alors beaucoup plus facile de t'aimer toi-même et de répandre ce grand amour autour de toi.**

Lise Bourbeau

Lise Bourbeau
(novembre 1988)

TABLE DES MATIÈRES

CHAPITRE 1
TU ES UNE ÂME EN ÉVOLUTION.

Tu es une âme en évolution sur la terre. Pour évoluer sur le plan terrestre, ton âme a besoin d'un véhicule, et ce véhicule, c'est ton corps. Ton âme est située au centre de ce véhicule, c'est-à-dire dans la région du coeur. Et tout ce que ton âme veut réaliser ici, sur la terre, c'est l'harmonie, le bonheur total. Le seul moyen d'y parvenir, c'est l'amour inconditionnel, sans attentes! Ce n'est pas pour rien que l'âme est située dans la région du coeur! En s'ouvrant le coeur, nous aidons notre âme à évoluer. Et ce véhicule, cette couverture de notre âme est l'expression de ce que l'âme vit. A mesure qu'elle évolue, son véhicule devient plus parfait. Tu maîtrises de plus en plus ton expérience de vie pour enfin atteindre à la maîtrise parfaite de tes sens.

La terre est comparable à une école où nous venons prendre des cours, nous instruire, acquérir plus de connaissances pour nous découvrir et savoir exactement ce que nous avons à transformer pour en arriver au bonheur parfait qui est notre raison d'être. Ce qui se passe ici sur la terre est vraiment semblable à ce qui se passe dans une école.

Imagine que tu décides d'aller à l'université. Tu as de bonnes intentions: tu veux t'instruire. Suppose que tu veuilles devenir ingénieur. Tu t'inscris alors et tu commences à suivre des cours. Tu découvres bientôt que c'est beaucoup plus difficile que tu ne l'avais prévu. De plus, les conditions de l'université ne te plaisent pas tellement, ni les gens que tu y côtoies. Peut-être que tu n'aimes pas tes professeurs comme tu l'aurais souhaité. Enfin, tout est beaucoup plus ardu que tu ne l'avais imaginé. Tu as toujours le choix de tout laisser tomber et de faire quelque chose d'autre, de ne plus réaliser ce désir. Ou bien tu peux décider d'apprendre la tolérance, la patience, la compréhension pour tout à coup découvrir que les conditions ne sont pas aussi pénibles que tu te le disais au début puisque maintenant tu vois les choses d'un oeil différent.

Chaque fois que nous revenons sur terre, c'est pour suivre un cours différent, pour apprendre quelque chose de nouveau. Tout ce que nous apprenons doit nous aider à aimer davantage les gens de notre entourage, la nature, etc., pour nous amener à entrer de plus en plus étroitement en contact avec **DIEU**, le Créateur de ce grand univers, qui est en chacun de nous.

Même les plus grands savants, les plus grands génies, les plus grands créateurs de la planète doivent faire porter leurs études, mettre leur cerveau au service de l'humanité afin que tout le monde en vienne à connaître cette grande harmonie. Car quiconque utilise ses talents, son énergie ou son temps à quelque chose qui va à l'encontre des lois de l'amour aura toujours à en payer le prix. Le prix peut se payer dans cette vie-ci ou dans une vie ultérieure. Cela varie pour chaque individu.

Toute action, toute parole, tout sentiment qui va à l'encontre de la grande loi de l'amour et qui cause des souffrances doit toujours être revécu par son auteur. En d'autres termes, nous accumulons, à chaque vie, des actions, des pensées et des paroles qui ne sont pas bénéfiques pour nous-mêmes ou pour les autres, et nous avons à les revivre pour savoir et sentir au niveau du coeur ce que nous avons fait subir aux autres. C'est ce qu'on appelle la grande **loi du Karma** (cause à effet). A chaque vie, nous avons à nous débarrasser de choses accumulées au cours de vies précédentes pour avancer sur le chemin qui nous mène au bonheur parfait.

Maintenant, nous entrons dans l'**Ere du Verseau**. Il y a des énergies spéciales qui sont dirigées vers la terre pour aider les humains à évoluer beaucoup plus rapidement. Nous pouvons réaliser en une vie ce qui auparavant pouvait prendre plusieurs dizaines de vies à s'accomplir. C'est donc un grand privilège que d'être vivant présentement sur cette terre.

Tout ce qui se produit dans ta vie a sa raison d'être: c'est là pour t'apprendre à aimer davantage. Alors, au lieu de toujours en vouloir à Pierre, Jean, Jacques pour tout ce qui t'arrive et de blâmer les autres, regarde-toi toi-même et sache que ce que tu vis présentement fait partie de ton plan de vie. Cela durera aussi longtemps que tu résisteras à l'accepter. Tu peux même résister toute une vie à une situation. Dès l'instant où tu acceptes que c'est quelque chose que tu as dû semer puisque tu le récoltes, dès l'instant où tu te poses les questions suivantes: "Qu'est ce que j'ai à apprendre là-dedans? De quelle façon puis-je aimer davantage grâce à cette expérience que je vis?", la situation qui était déplaisante va se résorber beaucoup plus vite. Tout ce qui arrive dans ta vie est toujours passager. Il n'en tient qu'à toi de décider que cela dure longtemps ou pas.

Ton corps actuel est une grande source de référence pour t'aider à prendre conscience de l'état de ton âme. Le corps est tout simplement merveilleux. Tu pourras découvrir au cours des chapitres qui viennent comment il est réellement l'expression de ton âme. Quand nous essayons de comprendre la structure de l'être humain, nous pouvons le voir en trois parties: l'esprit, l'âme et le corps. Nous pouvons aussi le diviser en sept si nous nous en référons à ses sept centres énergétiques.

Imagine ton âme comme un petit soleil à l'intérieur de toi. Chaque fois que tu fais un acte d'amour, que tu donnes de l'amour, que tu ressens de l'amour, que tu parles avec amour, ce soleil grandit et devient une grande source de chaleur à l'intérieur de toi, une grande source de lumière. Plus ce soleil intérieur grandit, plus il commence à irradier sa lumière autour de toi. Cette lumière, cette chaleur a le pouvoir de non seulement te réchauffer mais aussi de réchauffer les membres de ton entourage. La lumière de ton soleil intérieur éclaire tes pensées, tes désirs, tes buts. Tout devient intérieurement beaucoup plus clair pour toi.

Ta lumière aide aussi tes proches qui vont se sentir éclairés à ton contact. Tu vas développer le don de dire la bonne parole au bon moment et on va te remercier de cette lumière. Voilà l'activité d'une âme qui accepte son **DIEU** intérieur.

Pour évoluer, il est important que tu acceptes le changement sans lequel aucune croissance n'est possible. Regarde autour de toi: il y a beaucoup à apprendre en contemplant les arbres, les fleurs, toute la nature. Quand tu observes la croissance d'une rose, ne réalises-tu pas qu'elle change constamment? Si la rose s'arrêtait de croître, de grandir, elle mourrait. Il en va de même pour les humains.

On remarque qu'il y a beaucoup de personnes sur terre présentement qui vivent dans un corps, mais c'est à se demander si elles vivent vraiment! On peut dire que ces personne existent tout au plus. Ce sont presque des morts. La raison à cela? Ces gens se ferment complètement à l'énergie de l'amour. Leur conscience s'éveille très lentement et ils s'empêchent de connaître plus rapidement le véritable bonheur intérieur.

Tu as peur du changement? Ne t'en fais pas! Tu as cela en commun avec la majorité des humains, car, jusqu'à présent, on a cru que changer signifiait échouer. Pendant l'ère du Poisson qui était une époque de grand matérialisme, les gens avaient plus ou moins décidé que faire toujours la même chose était un signe de stabilité, de sagesse. Regarde tes proches: tes parents ou tes grands-parents ont très probablement toujours vécu dans la même localité, travaillé au même endroit, fait le même métier et cru aux mêmes valeurs pendant toute leur vie. Il n'y avait pratiquement pas de place pour le changement. A quatre-vingt-dix ans, ils avaient encore les mêmes notions de bien et de mal qu'ils avaient eues à trente ans. L'évolution était beaucoup plus lente alors.

Aujourd'hui, avec l'avènement du **Verseau**, qui est l'**ère de la spiritualité**, de "l'**être**", nous ne pouvons plus vivre de cette manière. La personne qui aura exercé le même métier, la même profession pendant quarante ans ou plus sera de plus en plus rare. Combien de professionnels n'a-t-on pas vu laisser leur profession pour devenir fermiers ou pour s'adonner à une activité complètement différente de tout ce qu'ils avaient fait jusqu'alors? Ces changements font partie de la présente évolution sur la terre.

Combien de personnes ont le sentiment de vivre un échec parce qu'elles passent à travers un divorce? Pourquoi penses-tu qu'il y a tant de divorces présentement? Est-ce parce que les gens sont plus mauvais? Non! C'est tout simplement parce qu'il y a une plus grande ouverture, un plus grand besoin d'évoluer qui se manifeste. Ainsi, quand deux conjoints ont beaucoup de difficulté à évoluer ensemble, une séparation ne peut faire autrement que se produire. Le besoin d'évoluer est tellement fort que personne au monde ne peut l'empêcher. Quand l'un des deux partenaires résiste sans arrêt aux choix de vie de l'autre, il se produit que les deux ne peuvent plus vivre ensemble.

Si chacun des couples avait la sagesse de s'accepter dans ce changement et de comprendre que, pour le moment, ils ne peuvent plus vivre ensemble à cause d'une trop grande différence de choix de vie, tout deviendrait beaucoup plus facile pour eux. Ils continueraient d'être des amis et de se côtoyer même après la séparation. Il n'y a pas d'échec quand on se sépare dans ces conditions-là. Par contre, si la séparation se fait dans l'animosité, la haine, la rancune, c'est une grande tristesse pour l'âme qui ne veut vivre que de l'amour. Quand deux êtres qui s'aimaient décident finalement de se laisser, quand ce changement s'effectue dans l'harmonie et qu'il y a accord mutuel pour s'entraider et pour apprendre ce que cette séparation enseigne, celle-ci a sa raison d'être. Ces deux personnes pourraient revivre ensemble un jour. Qui sait?

L'important est que chacun d'entre nous aille toujours vers un amour de plus en plus grand, tant envers soi-même qu'envers les autres. La réalité c'est la vie de ton âme, et non pas les événements dont tu es témoin ou auxquels tu participes. Ce qui nous entoure est une immense illusion et c'est facile à démontrer. Prenons, par exemple, dix personnes qui participent à une réunion sociale dans la même pièce. Demandons à ces dix personnes de décrire les lieux où elles se trouvaient, les gens qui les ont reçues et ce qui s'est passé au cours de la soirée. Pas une seule des dix personnes n'aura la même version des faits. Chacune aura vu la pièce, les gens et la soirée d'une façon différente. Pourquoi? Parce que nous créons constamment notre vie selon nos perceptions. Nous la créons pour vivre des expériences, pour apprendre à nous connaître, pour découvrir ce que nous avons besoin de transformer, et cela se fait différemment selon ce que nous sommes.

Un autre exemple? Prenons une famille de trois enfants et demandons à ceux-ci de décrire leurs parents. Nous constaterons qu'ils avaient tous un père et une mère différents. L'un aura trouvé sa mère trop sévère, l'autre, son père très aimant, etc. Les opinions, dans ce cas-ci, diffèrent en raison de la perception des enfants, et cette perception dépend de ce que chacun avait à apprendre de son contexte familial.

Pourquoi les personnes qui n'ont qu'un point de vue matériel et qui ne croient pas en la spiritualité de l'être ont-elles tellement de difficulté à connaître le bonheur? Parce qu'elles savent au fond d'elles-mêmes que l'âme a besoin de se nourrir, d'**aimer** et de **vivre** au **niveau de "l'être"**! Pas seulement au niveau de "l'avoir"! Plus les grands matérialistes possèdent de choses, plus ils en veulent. Ils sont toujours à la recherche de quelque chose de plus, de meilleur. Ils ne se rendent pas compte que ce "plus", c'est le contact avec leur soleil intérieur, leur **DIEU** intérieur qui veut tout simplement se manifester à travers leur âme, au moyen de l'amour. Quand l'être humain utilisera la matière pour se mettre en contact avec son **DIEU** intérieur, l'abondance règnera partout sur la terre. En effet, **DIEU** ne veut que de la prospérité pour tous dans son univers.

Mais à quoi peut bien servir la richesse si le coeur est malheureux? Quand le coeur est triste, les émotions prennent le dessus et la santé finit par chanceler. A quoi servent alors les biens matériels, l'argent, la belle maison, le yacht et les voyages si le coeur est misérable? Ce que ton âme veut, c'est que tu utilises tout ce qui t'entoure pour t'aider dans ton cheminement, afin de te mettre en contact avec le **DIEU** intérieur présent en chacun, présent dans la nature et dans tout ce qui existe. Ce que ton âme désire, c'est que tu voies sa grandeur présente au lieu de t'apitoyer sur les aspects indésirables de ton expérience de vie.

Un très bon indice pour t'aider dans ta découverte de toi-même consiste à voir si ta valeur vient de ce que tu donnes aux autres ou de ce que tu en reçois. Au lieu de donner généreusement et sans attentes, nous marchandons souvent quelque chose lorsque nous faisons des dons. Si tu te reconnais en cela, c'est que tu t'évalues par ce que tu reçois des autres. Quelqu'un t'a fait un compliment? "Ah! Mon Dieu! Je dois être bonne puisqu'on me le dit!" Quelqu'un d'autre te fait un cadeau? "Cette personne-là doit m'aimer puisqu'elle m'a fait ce cadeau!" Tu vois? C'est cela, s'évaluer d'après ce que nous recevons. Or, l'âme devient malade à ce régime. Quand tu as beaucoup d'attentes, tu vis beaucoup d'émotions. Et quand nous vivons des émotions, c'est notre âme qui crie: "Au secours!" Au lieu de s'aimer, de s'accepter et d'aimer les autres, nous avons des attentes et c'est contraire à la loi de l'amour. Chaque jour, regarde ce que tu as donné sans attentes et tu sauras ce que tu vaux! Tu ne peux donner que ce que tu possèdes! Tu vas découvrir ainsi que tu n'as plus à faire autant d'efforts pour que ta vie s'arrange. Les choses vont se placer d'elles-mêmes si tu te concentres uniquement sur ta grande valeur et si tu fais des actes d'amour gratuits.

Une autre façon de donner, c'est de pardonner. Aussitôt que tu pardonnes à quelqu'un, quelle que soit l'offense qui t'ait été faite, tu te pardonnes à toi-même la même erreur, la même attitude non bénéfique. Il est assez facile de pardonner quand on se rend compte que l'autre personne a agi au meilleur de sa connaissance, qu'elle t'a créé une offense à cause de sa propre souffrance plutôt que par un manque d'amour. Tout ce qui t'arrive a toujours une raison d'être, et cette compréhension te permet d'éliminer de ta vie les conséquences du Karma. En effet, même si tu ne te souviens pas d'avoir offensé quelqu'un de cette manière, l'offense dont tu es victime demeure quelque chose que tu récoltes parce que tu l'as semée. Si on te fait du mal à un moment ou l'autre de ta vie, c'est que tu en as fait autant à quelqu'un d'autre, soit en pensée, en parole ou en action, soit dans cette vie-ci, soit dans une autre.

Tu n'as pas tellement besoin de te creuser la tête pour savoir où, quand et à qui tu as fait ce mal. Tu n'as qu'à accepter que la grande loi cosmique de cause et effet ne se trompe jamais et ne peut commettre d'injustice. En pardonnant à quelqu'un d'autre, tu te pardonnes à toi-même et tu permets à ton âme de grandir.

Présentement, il y a une épaisse couche de haine, d'égoïsme, de rancune et de ressentiment autour de notre planète qui provient de ces basses émotions vécues par tous les humains. Chaque fois que tu fais un acte d'amour, tu envoies un peu de lumière autour de la terre, dans cette aura d'un brun grisâtre qui indique à quel point notre terre est malade.

Actuellement, la plus triste ironie qui soit se découvre quand on observe combien les humains, au lieu de s'aimer, de vivre l'amour, se servent de la douleur pour se protéger de la douleur même. Un exemple? Les gens qui ont le plus peur du rejet rejettent d'abord quelqu'un d'autre pour prévenir un rejet dans leur vie. Ils perdent ainsi quelque chose de précieux pour se garantir de la perte. Les gens se jugent mutuellement pour se protéger du jugement des autres. Les gens s'accusent de la même manière pour se préserver de l'accusation des autres. C'est un cercle vicieux qui se déroule sans fin car tout ce que nous faisons nous revient continuellement par la loi de cause et effet.

Regarde attentivement ta vie et ce qui ne t'est pas bénéfique. Tu te fais vivre des émotions, tu te rends malheureuse? Tu n'aimes pas la critique dont tu es l'objet? Regarde ta façon de critiquer les autres. Transforme graduellement l'énergie de ton environnement en énergie d'amour, de bonheur et de paix.

A la fin de chaque vie, quand l'âme passe à un autre plan d'existence, elle ne peut pas emporter avec elle les possessions accumulées pendant son passage terrestre. **L'âme n'emporte que les résultats des choix qu'elle a faits pendant la vie terrestre à la suite des expériences et des événements qu'elle a vécus et provoqués.** Il y a des bénéfices permanents qui sortent de chacune des victoires d'amour remportées sur des situations difficiles. L'âme conserve ces victoires et n'aura plus jamais besoin de revivre ces situations.

Comme je le mentionnais précédemment, notre âme vit des expériences différentes à chacune de ses étapes. Au début de chaque vie, plusieurs facteurs sont déjà prédestinés. Ainsi, avant la naissance, l'âme a décidé des parents dont elle avait besoin pour sa prochaine vie, elle a décidé du pays, de la ville où elle allait naître, elle a décidé que le corps serait petit ou grand, etc. Comme tu vois, beaucoup de choses ont été décidées d'avance. Par contre, ce que personne ne peut prédéterminer c'est la manière de réagir à ces choix. Ce sont les réactions, les décisions que nous prenons en rapport avec les expériences que nous avons choisies qui vont permettre à notre âme d'évoluer plus ou moins rapidement et de déterminer notre degré de bonheur dans chaque vie.

Les chapitres qui suivent te seront certainement utiles puisque tu désires évoluer davantage, devenir consciente du chemin parcouru et de celui qu'il te reste à couvrir.

Comme je te l'ai recommandé dans la préface, médite, concentre-toi sur la pensée suivante pendant les sept jours qui suivront la lecture de ce chapitre. Il n'y a aucun effort à faire. Laisse tout simplement venir à la surface de ta conscience tout ce qui veut y remonter, sans résister.

« CE QUE JE SUIS
EST LE CADEAU QUE DIEU ME DONNE.
CE QUE JE SUIS
QUAND JE DEVIENS CONSCIENTE
EST LE CADEAU QUE JE DONNE
À DIEU. »

CHAPITRE 2
TU ES CE QUE TU VOIS.

Eh oui! Tout ce que tu vois cherche à te montrer qui tu es vraiment, **comme un miroir**. Cette théorie n'est pas facile à accepter. Même si elle n'est pas compliquée, elle est difficile à mettre en application dans notre vie car notre orgueil en prend un dur coup surtout si ce que nous observons est dérangeant. Car même quand nous admirons quelqu'un, nous trouvons parfois difficile d'accepter d'être aussi spéciale, d'être vraiment à son image.

Que vois-tu autour de toi? Comment vois-tu les gens avec qui tu vis? Comment vois-tu les gens avec qui tu travailles? Comment vois-tu les êtres en général, sur la route, au centre d'achats, dans la rue? Tout ce sur quoi tu portes ton regard est ton reflet. Si tu te servais de cette grande théorie du miroir pendant seulement quelques instants, chaque jour, il se produirait une très importante transformation dans ta vie.

Supposons que, dans cette vie ici sur cette terre, pour t'aider à te connaître, à évoluer et à te voir véritablement, on t'ait entourée de miroirs. Où que tu ailles, quoi que tu fasses, tu peux continuellement t'observer dans un miroir. Au lieu de voir des personnes agressantes, des gens qui te dérangent ou des personnes extraordinaires, remplace-les par un miroir et ta vie prendra une toute autre tournure.

Quand tu te places devant le miroir de ta salle de bain, il t'est facile de comprendre que la personne qui s'y regarde est bel et bien toi. Que ton visage soit fermé ou rayonnant, qu'il soit joyeux ou triste, qu'il soit lisse ou boutonneux, tu sais que c'est bien de toi qu'il s'agit. Si l'image que le miroir te renvoie ne te plaît pas, tu n'en veux pas au miroir, n'est-ce pas?

C'est exactement ce qui se passe dans ta vie: toutes les personnes que tu y as attirées te renvoient une image d'un aspect de toi-même. Chaque jour, ta superconscience crée des situations pour faire arriver autour de toi les gens dont tu as besoin à ce moment particulier pour apprendre à te connaître. Comme je le mentionnais précédemment, il n'est pas facile d'accepter cette théorie. Neuf fois sur dix, notre première réaction est de se dire: "Ça ne se peut pas! Je ne suis pas comme ça ! Je ne suis pas aussi égoïste que ça! Je ne suis pas impatiente à ce point !" On peut aussi se dire: "Je ne suis pas aussi bonne qu'elle! Je ne suis ni aussi fantastique, ni aussi persévérante!" On se compare sans arrêt aux autres, que ce soit pour les trouver meilleures ou pires que nous-mêmes.

Tant qu'on a cette philosophie, cette conception de la vie, le modèle inaccepté se reproduit constamment. Par contre, dès l'instant où tu acceptes que tout ce que tu fais arriver autour de toi est tout simplement un reflet de toi-même et que tu prends le temps de t'arrêter pour te dire: "Se peut-il que je sois ainsi? Quelle partie de moi est semblable à l'autre personne?", il se produit une ouverture dans ton coeur. Ton soleil intérieur t'apporte immédiatement la lumière dont tu as besoin pour y voir clair. Aussitôt que ton coeur s'ouvre, une ouverture se fait aussi au niveau du centre d'énergie frontal. La lumière de ton coeur monte vers le front et c'est l'illumination! Tout à coup, tu vas t'entendre dire: "Ah ha!!! Je viens de comprendre !" Et tu seras toute heureuse de cette nouvelle prise de conscience.

Prenons un exemple. Supposons que ton conjoint paresse, qu'il passe beaucoup de temps devant la télévision au retour de son travail. Si ça te dérange énormément de le voir se comporter ainsi, si tu le juges en te disant: "Il faut toujours que je le pousse dans le dos! J'en ai assez de toujours tout diriger et de le supplier pour qu'il fasse ce qu'il a à faire!", c'est que tu as quelque chose à apprendre sur toi-même grâce à cette situation. Supposons encore que ça te dérange de voir tes enfants ne pas faire leurs devoirs, ne pas accomplir leurs tâches à la maison et que tu les traites de paresseux. Tout cela est en train de te dire qu'une partie de toi est paresseuse. Bien sûr, tu ne te vois pas paresseuse: tu es bien trop occupée à voir la paresse chez les autres!... Or, une partie de toi trouve qu'il est inadmissible d'être paresseuse et tu ne t'es jamais permis de l'être. Voilà une décision que tu as prise à un moment donné de ta vie, probablement selon ton éducation. Peut-être ne t'es-tu pas aimée lorsque tu t'es offert une bonne séance de paresse? Quoi qu'il en soit, ta notion de ce qu'est la paresse crée en toi un profond dérangement. Ça te dérange beaucoup de voir quelqu'un qui ose se permettre de faire une chose qu'au fin fond de toi-même tu aimerais bien faire aussi de temps à autre. Non pas que tu sois paresseuse à l'extrême; mais parfois ce serait bon pour toi de t'étirer les flancs. Parfois aussi, cela ne te serait pas bénéfique. Tu vois?

Et il en est ainsi pour tout le monde. Quand on y songe, il n'y a ni bien ni mal, et nous n'avons pas le droit de juger quiconque ni quoi que ce soit. Chacun agit toujours au meilleur de sa connaissance. Si quelqu'un agit incorrectement, qui aura à en subir les conséquences? Alors, tu n'as pas à juger ni à critiquer. Tu n'as qu'à utiliser tout ce que tu vois autour de toi pour apprendre à te connaître davantage.

QUI ES-TU?

Si tu veux pousser plus loin l'application de cette théorie, il y a un excellent exercice à faire. Assieds-toi calmement et choisis la personne de ton entourage qui te dérange le plus présentement. Choisis celle qui a le don de presser le bon bouton, de te faire habituellement réagir. Prends une feuille de papier et un stylo, décris cette personne comme si tu voulais la décrire à quelqu'un qui ne la connaît pas du tout. Ecris tout ce que tu vois chez elle, ses qualités comme ses défauts. Sois ensuite attentive à observer ce qui t'appartient en chacune de ses qualités et en chacun de ses défauts. Il se peut qu'il te faille des années avant d'avoir passé chaque item au peigne fin, d'avoir vu chaque point en toi et de t'y être reconnue. Le temps qu'il te faudra n'a pas tant d'importance. Ce qui est important, ce qui est réconfortant, c'est que tu es dans la bonne direction puisque tu as décidé d'apprendre à te mieux connaître grâce à ce que tu vois autour de toi, au lieu de perdre ton temps à juger les autres. Ce qu'il y a de merveilleux dans cette théorie, c'est que dès l'instant où tu te vois toi-même, grâce à ce que tu perçois chez les autres personnes, dès l'instant où tu te vois, non seulement avec les yeux mais avec le sentiment intérieur, tu ne peux plus leur en vouloir. Tu peux les comprendre parce que tu ressens ce qu'elles vivent.

Cela te dérange-t-il de voir quelqu'un faire du gaspillage? Si oui, c'est que tu es en train de te faire le reproche de gaspiller. Il se peut que tu ne gaspilles pas la même chose que l'autre personne. Peut-être qu'elle gaspille un bien matériel, alors que toi, tu gaspilles ton temps et ta salive à parler pour rien. Peut-être que tu gaspilles ton énergie à essayer de changer la vie des autres au lieu d'utiliser cette belle énergie pour ta propre évolution. Bref, regarde ce que toi, tu gaspilles dans ta vie.

TU ES CE QUE TU VOIS

Cela te perturbe-t-il si une autre automobiliste (qui selon toi conduit très mal!) vient te couper et provoque ainsi chez toi une émotion de peur? Quelle est ta première réaction? Te mettre en colère, juger cette automobiliste, la critiquer? Si tel est le cas, essaie la réaction suivante la prochaine fois que cela se produira. Après le premier instant de peur, regarde ce qui t'a dérangée dans la conduite de l'autre. Est-ce le fait qu'elle allait trop vite? Est-ce le manque de respect? Le manque d'attention? Si tu sens qu'il s'agit d'un manque de respect ou d'attention, demande-toi dans quelle situation de ta vie tu manques de respect ou d'attention envers quelqu'un d'autre. Essaie de découvrir à quel moment tu tentes d'imposer tes idées aux autres, de les "couper" dans leur façon de vivre, etc., qu'il s'agisse de ton conjoint, de tes enfants ou de tes collègues de travail.

Le fait de voir quelqu'un de mieux nanti que toi te dérange? Est-ce que tu éprouves un peu d'envie, de jalousie devant quelqu'un qui a une plus belle maison que la tienne, de plus beaux vêtements que les tiens, un meilleur travail, un plus gros salaire ou un titre plus ronflant? Surtout si tu as l'impression de travailler plus fort que cette personne et de mériter au moins autant qu'elle? Si oui, c'est que tu désires fortement toutes ces choses-là. Mais qui empêche ces choses de se manifester dans ton existence? Nulle autre que toi. Tu bloques leur venue avec le sentiment que tu ne les mérites pas, avec la pensée qu'être riche n'est pas bien, pas spirituel, que les riches sont des voleurs, etc. Quelles que soient les raisons, c'est toi qui as décidé à un moment ou l'autre de ta vie que tu ne méritais pas ces belles choses-là, et c'est la seule et unique raison pour laquelle tu ne les as pas!

Supposons que tu observes quelqu'un qui mange trop, qui

boit trop, qui ne semble pas avoir de contrôle, et que cela te dérange. Regarde alors ce qui te pertube. Le manque de contrôle? La dépendance? Si c'est l'absence de contrôle, tu es en train de réaliser que toi aussi, à certains moments, tu n'as pas le contrôle de tes sens et que tu n'aimes pas ce comportement-là. A plusieurs reprises dans ta vie, parce que tu ne veux pas te voir et t'accepter telle que tu es, tu vas essayer de te contrôler, de t'empêcher de manger ou de satisfaire tes sens. Quand il y a cette sorte de contrôle, que tu veux une chose à l'intérieur de toi-même et que tu agis à l'encontre de ton désir, il se crée une tension et à un moment ou l'autre, tout finit par éclater. C'est alors qu'une maladie se manifeste, que tu deviens toi-même alcoolique ou boulimique ou encore obsédée sexuelle. Si tu tentes de trop contrôler ta vie, un de tes sens va se dérégler complètement. L'important, c'est d'apprendre la maîtrise.

Mais comment en vient-on à être son propre maître, à se maîtriser? Tout d'abord, en acceptant qu'il t'arrive présentement de ne pas avoir le contrôle et que cela ne signifie pas que tu es une mauvaise personne pour autant. Reconnais que tu n'as pas l'intention d'être ainsi toute ta vie même si c'est plus fort que toi présentement. Il s'agit de t'accepter complètement et de te permettre de perdre parfois le contrôle. De toute façon, c'est toujours toi qui en payes le prix. Ainsi, tu cesseras de te juger et de juger les autres et, graduellement, tu en viendras à régler ton problème, quelle que soit sa nature. Tant que tu t'en fais accroire en te disant: "Je ne suis pas comme ça: j'ai le contrôle!", tu te crées un grand stress et tu te fais vieillir inutilement.

Revenons à l'exemple de la dépendance: qu'il s'agisse d'une boulimique, d'une alcoolique ou d'une personne qui ne peut vivre sans sa drogue, sans ses médicaments. Si cela te dérange, c'est que toi aussi tu as une dépendance. Quelle est-elle? De quoi ou de qui dépends-tu pour connaître le bonheur? De ton conjoint? De ton travail? Des sucreries? Des pâtes? De l'opinion des autres? Accepte que tu agis présentement au meilleur de ta connaissance et qu'un jour tu ne dépendras plus de rien ni de personne. De cette façon, tu accepteras, sans la juger, la dépendance de quelqu'un d'autre.

Tu comprendras que lorsque quelqu'un n'est pas son propre maître, c'est qu'il n'est pas en contact avec son vrai pouvoir, le pouvoir qui consiste à créer sa propre vie. La majorité des humains connaissent présentement de petites, de moyennes ou de grandes dépendances. Peu nombreux sont les êtres qui n'attendent rien de quiconque ou de quoi que ce soit pour leur bonheur. En apprenant à nous maîtriser, à nous mieux connaître, nous nous libérerons, petit à petit, de toutes nos dépendances.

Quand il t'arrive de te voir nue dans un miroir et de prendre le temps de t'examiner, que remarques-tu? Quelle partie de ton corps aimes-tu? Quelle partie voudrais-tu voir différente? S'il se trouvait que tu n'acceptes pas la presque totalité de ton corps tel qu'il est, comment pourrais-tu espérer que les autres t'acceptent? Ton corps existe pour te permettre de te mieux connaître et non pas pour te donner des occasions de te dévaloriser, chaque fois que tu l'observes! Te trouver laide, trop petite ou trop grosse n'est certainement pas la façon de manifester de l'amour envers toi-même, ni d'attirer l'amour des autres. Dans un chapitre ultérieur, tu trouveras certaines idées qui t'aideront à te connaître grâce à la forme de ton corps.

Deviens consciente de ce que tu vois quand tu te regardes et tu sauras ainsi comment tu te perçois comme être humain.

Ta façon de te voir est ce que tu projettes chez les autres. Constate aussi les différences dans ton attitude quand tu pars de chez toi habillée, maquillée et coiffée à ton goût. Quel que soit le lieu où tu vas, tu y arrives avec assurance, tu te sens en pleine forme, remplie d'enthousiasme et de joie de vivre. Pourquoi donc? Tout simplement parce que, cette journée-là, tu te vois belle. Ne peux-tu pas choisir de te voir belle chaque jour?

Si tu as besoin de modifier quelque chose à ton apparence physique pour te voir belle, accepte que tu as présentement ce besoin. Le jour viendra où tu te trouveras belle sans même t'être coiffée ou habillée de façon spéciale.

Que vois-tu quand tu te promènes à l'extérieur, que tu regardes la nature? Seulement les belles choses qui te mettent en contact avec ton **DIEU** intérieur? Es-tu reconnaissante pour cette belle nature qui te remplit de joie et de bons sentiments? Ou bien perds-tu ton temps à t'appesantir sur les aspects de la nature que tu aimes moins, comme la boue, le vent ou la neige à pelleter? Pourquoi ne pas voir la beauté de cette neige? Donne-toi la peine de voir la beauté partout! Toute ta vie s'en ressentira car la beauté est le besoin le plus important de ton corps émotionnel. Plus tu vois la beauté autour de toi et en toi, plus ta vie s'embellit.

Il n'en tient qu'à toi de t'entourer de beauté. Choisis de demeurer en un lieu que tu trouves beau. Procure-toi de beaux vêtements. Lis de belles choses. **Ne vois que du beau partout**.

Quand tu entres pour la première fois dans une maison, remarques-tu d'abord les défauts de construction, les détails de décoration qui laissent à désirer? Choisis-tu plutôt de voir les belles choses qu'il y a dans cette maison? Ta vie peut changer d'un moment à l'autre selon ce que tu choisis de voir. Il n'y a personne au monde qui puisse t'amener à percevoir les choses, les gens ou les situations autrement que tu le veux. Bien sûr, l'influence des autres peut jouer mais c'est à toi que la décision finale revient quant à ce que tu choisis de voir. C'est ça le pouvoir de créer sa vie. Il s'agit là d'un véritable pouvoir: celui de voir partout la beauté.

Ton esprit conscient et subconscient est nourri par ce que tes sens perçoivent. Tout ce que tu lis, tout ce que tu captes avec tes yeux est une nourriture pour ton esprit. C'est à toi de décider si cette nourriture sera enrichissante ou nuisible.

Supposons que tu commences à lire une revue, un journal ou un livre. Au bout de quelques moments, tu ne te sens pas bien, ta lecture ne te remplit pas. Alors, tiens compte de ce que ton intuition te suggère: laisse ce livre, ce journal, cette revue. Sa qualité n'est pas nécessairement mauvaise, mais ce n'est tout simplement pas ce dont tu as besoin pour le moment. Si tu ressens un trouble intérieur, un malaise au cours d'une lecture que tu voulais inspirante, rien ne t'oblige à poursuivre cette lecture, rien ne t'oblige à garder ce livre chez toi. Change d'activité, détruis ce livre si c'est ce que tu crois qu'il y a de mieux à faire.

Voici une technique extraordinaire qui t'amènera à bien utiliser ta vue. Il s'agit de la visualisation créatrice. Prends la bonne habitude de te représenter, de visualiser sur ton écran mental ce que tu souhaites voir se produire dans ta vie au lieu de passer ton temps à t'appesantir sur ce qui ne va pas.

Dès que quelque chose ne te plaît pas, arrête-toi, ferme les yeux et vois à l'intérieur de toi l'image de ta vie telle que tu veux qu'elle soit. Tu décides par quoi tu veux remplacer dans ta conscience l'incident désagréable qui t'arrive. Visualise cet incident et les personnes impliquées exactement comme tu veux présentement qu'ils soient. Représente-toi la scène avec le plus de détails possible. Mais, me diras-tu: "C'est se faire accroire des choses!" Réfléchis un moment à ceci: quelle est la chose la plus importante pour toi dans la vie? Etre bien ou "toute croche"? Regarder quelque chose qui te fait vivre des émotions ou bien te sentir mieux pendant les quelques moments où tu n'imagines que des choses agréables? Puisque c'est toi qui crées ta vie, tu dois d'abord commencer par l'imaginer. Car il n'y a rien de ce qui a été créé sur terre qui n'ait pas d'abord été imaginé.

Dans les chapitres qui viennent, je te donnerai plus de détails sur la façon d'amener ces images mentales à se manifester véritablement dans ta vie. Commence déjà à prendre la bonne habitude de visualiser la situation telle que tu la veux, dans ses moindres détails. Par exemple, au lieu de te critiquer sans cesse en te regardant dans le miroir parce que tu as trente livres en trop, ferme les yeux, regarde-toi dans ton miroir intérieur et vois-toi avec trente livres en moins. Visualise ces images aussi clairement et aussi souvent que possible.

Comprends que ce n'est pas se créer des illusions ni se raconter des histoires. C'est plutôt utiliser le pouvoir créateur qui nous a été donné à tous afin que nous l'utilisions pour notre bonheur. Je te souhaite une bonne visualisation!

Pour clore ce chapitre, voici la pensée sur laquelle je te recommande de te concentrer pendant les sept prochains jours:

“ LA BEAUTÉ QUI EST CACHÉE
AU PLUS PROFOND DE MON ÂME
NE PEUT ÊTRE VUE
QU’AVEC LES YEUX
DE MON COEUR.”

CHAPITRE 3
TU ES CE QUE TU ENTENDS

Eh bien oui! Voici une autre occasion d'apprendre à te mieux connaître, à devenir plus consciente de ce que tu es, et c'est ce merveilleux sens de l'ouie qui te l'offre. Ecoute bien ceci: la plupart des humains n'entendent pas même dix pour cent (10%) de ce qu'on leur dit! Ils ont le don d'entendre seulement ce qui fait leur affaire; ils entendent en filtrant intérieurement l'information reçue. Tu fais très certainement partie de cette moyenne de gens car il n'y a pas tant d'êtres présentement qui manifestent leur perfection.

Or, **nos oreilles doivent être utilisées pour entendre de l'amour**. Tu trouves cela raide à prendre, n'est-ce pas? Surtout s'il y a quelqu'un de ton entourage qui te critique souvent!? Tu vas sans doute me demander: "Comment vais-je entendre de l'amour dans les paroles de mon mari qui passe son temps à me harceler pour tout ce que je ne fais pas à son goût?"

Quand il t'arrive, à toi, de critiquer quelqu'un, peux-tu dire ce qui te motive, ce qui se cache derrière cette critique? Critiques-tu cette personne parce que tu ne l'aimes pas? N'est-ce pas plutôt parce que tu l'aimes trop et mal? Peu importe ta manière de l'aimer, ce qui compte surtout, c'est que, finalement, tu aimes cette personne-là! Voilà donc ce qui se cache derrière la critique. Qu'il s'agisse de ton conjoint, de ton enfant ou encore d'un ami, tu critiques parce qu'on ne répond pas à tes attentes. La personne en cause aurait dû agir autrement, selon les attentes que tu as développées depuis que tu la connais. Tout à coup un incident se produit et tu es déçue parce qu'elle n'agit pas, ne pense pas ou ne parle pas comme tu aurais voulu qu'elle le fasse. Te voilà donc en train de la critiquer. Pourquoi? Tout simplement parce que tu veux l'aider à voir plus clair, étant donné que tu es intérieurement convaincue qu'elle aurait dû agir autrement.

Dans toute critique, il y a de l'amour. Tout ce qu'il faut faire pour découvrir cet amour, c'est de simplement prendre le temps de l'entendre. Si la personne que tu critiques t'était indifférente, elle pourrait faire ou dire n'importe quoi: cela te passerait dix pieds par-dessus la tête! Tu ne penserais pas à critiquer parce que ses dires et ses agissements te laisseraient complètement impassible. Les autres ont la même attitude envers toi. Aussi, lorsqu'elles te critiquent, c'est nécessairement parce que tu as de l'importance à leurs yeux. De plus, lorsqu'on te critique, as-tu remarqué que c'était toujours à cause d'une action quelconque? D'une attitude quelconque? Il peut s'agir de ta façon de t'habiller, de parler, de rire, de te coiffer ou de travailler, etc. C'est donc ton attitude qu'on critique et non pas ton être réel, ton essence... Quand tu vis des émotions à la suite d'une critique, c'est que tu t'es sentie rejetée, que tu ne t'es pas sentie aimée dans ton être profond. Pourtant l'autre personne n'a pas critiqué ton essence, ton être réel. Elle t'aime en tant qu'être humain. C'est uniquement sur une manière d'être qu'elle a trouvé à redire.

Supposons maintenant que quelqu'un vienne te voir pour se plaindre. Au lieu d'entendre seulement que l'autre a besoin d'une oreille attentive, t'arrive-t-il de croire qu'elle est en train, avec sa plainte, de te demander conseil? Vérifiestu alors si tel est bien le cas? Je te demande cela parce que c'est très typique des relations humaines. Nous sommes persuadées d'avoir réponse à tout. Avant même de vérifier si l'autre a besoin de notre aide, nous nous empressons de déballer nos bons conseils. Nous sommes sûres de pouvoir régler son problème et nous la voyons déjà venir nous exprimer sa reconnaissance pour l'aide reçue. Or, la réalité est généralement tout autre! La plupart du temps, celle qui se plaint n'est pas du tout prête à faire quoi que ce soit pour changer ce qui ne va pas. Et ton bon conseil ne l'impressionne certainement pas. Ce n'est pas cela qu'elle veut entendre.

Si tu te meurs d'envie de donner un conseil, croyant sincèrement avoir la solution au problème exposé, commence par vérifier avec l'intéressée. Lorsqu'elle a fini de te raconter son histoire, demande-lui si elle désire ton aide, si elle veut que tu lui fasses part de ton opinion et de tes suggestions. Sa réaction t'indiquera la meilleure attitude à adopter.

Tu sais, ce que nous voulons conseiller à l'autre est souvent un avis qu'on devrait se donner à soi-même, un conseil approprié pour soi. Ce conseil ne l'est pas nécessairement pour l'autre. Comme on le dit si bien: tu peux donner tout ton argent ou tout ton or à ton chat, mais que va-t-il en faire? Donne-lui plutôt sa nourriture favorite et il sera aux petits oiseaux! Les humains sont assez semblables à cela. Trouve le besoin de la personne, parle-lui de ce qu'elle veut entendre et elle sera aux anges! A celle qui aime la nature, parle de la nature, de **DIEU** se manifestant dans les arbres, dans le soleil ou dans les fleurs, et elle comprendra ton langage.

Es-tu souvent en présence d'une personne qui se plaint sans cesse et qui, peu importe ton intervention, va continuer sa même vie de malheurs et de problèmes? La prochaine fois qu'elle te racontera ses malheurs, tu peux l'aider en lui disant ceci: "J'ai bien entendu tout ce que tu viens de m'expliquer. Ce qui me ferait maintenant le plus plaisir, ce serait d'entendre ce que tu as décidé de faire pour résoudre ton problème." Il se peut qu'elle ne soit pas du tout heureuse de t'entendre lui dire cela et qu'elle réplique ainsi: "Écoute!!! Mais je n'ai pas le choix! Ça ne peut pas changer! Tout est contre moi!" Alors, dis-lui simplement que tu n'as plus le goût de l'entendre parler de ses problèmes, qu'il te fera extrêmement plaisir de l'écouter à l'avenir mais à condition seulement qu'elle ait aussi un plan d'action pour s'en sortir. Bien sûr, ces paroles risquent fort de la mettre en état de choc: elle peut être assez furieuse contre toi pour ne plus vouloir te parler. Cela peut aussi produire l'effet contraire et l'amener à réfléchir sur son mode de fonctionnement.

En fait, ce que cette personne attend de toi avec son étalage de plaintes continuelles, c'est que tu lui permettes de bien se sentir avec des paroles du type: "Ne t'en fais pas! Ce n'est pas si terrible que ça! Tout va s'arranger, tu vas voir! Sois patiente et prends courage, le temps finit toujours par arranger tout pour le mieux!" Ce qu'elle désire, c'est entendre des paroles de réconfort. Quand tu auras fini de la consoler, elle va probablement te dire: "Ah! Que je me sens bien maintenant! Ça me fait toujours du bien de causer avec toi!" Pendant tout ce temps-là, ni toi ni elle n'avez fait quoi que ce soit pour transformer cette énergie de malheur en énergie de bonheur. Toi, tu as utilisé ton énergie pour la réconforter en lui disant exactement ce qu'elle voulait entendre. Quant à elle, elle va continuer dans sa même routine de malheur.

Il n'y a personne sur terre qui soit responsable du bonheur

de quiconque. Tu n'as donc pas besoin de veiller au bien-être des autres. Ton rôle consiste à les guider pour qu'elles en viennent à s'aimer et à aimer les autres davantage et à voir **DIEU** partout. Ton rôle n'est certainement pas de les réconforter au point qu'elles continuent de se complaire dans leurs critiques et leurs problèmes.

Est-ce qu'il t'arrive d'être dérangée lorsque tu entends des mensonges, de ressentir au plus profond de toi-même que quelque chose sonne faux dans ce que tu viens d'entendre? Quelle est alors ton attitude? Ecoutes-tu ton interlocutrice en faisant semblant de la croire, tout en la critiquant dans ton for intérieur? Si tel est le cas, tu n'es pas plus vraie qu'elle! Tu mens autant qu'elle puisque tu penses une chose et en laisses croire une autre. Si tu te rends compte que des membres de ton entourage ne sont pas vrais, comprends bien qu'ils sont là pour te faire prendre conscience que toi non plus tu n'es pas toujours vraie. Et quand tu n'es pas vraie, ce n'est pas par méchanceté! C'est souvent la peur qui motive une telle attitude: peur de faire rire de toi, peur de ne pas être à la hauteur d'une situation ou peur de te tromper... Accepte donc que lorsque les autres ne sont pas vrais avec toi, c'est qu'ils ont aussi leurs peurs. Au lieu de les critiquer, vois en eux le petit enfant qui a peur.

Si tu veux vraiment transformer la situation, commence dès aujourd'hui à être vraie. Quand quelqu'un te parle et que tu sens dans ton for intérieur que ce que tu viens d'entendre est faux, exprime-le sans tarder. Voici une manière de l'exprimer: "Je ne sais pas si c'est mon imagination qui est en train de me jouer un tour, mais tu me parles d'une chose et j'en entends une autre. J'ai l'impression que ce que tu me dis ne correspond pas très bien à ce que tu vis vraiment, à ce qui s'est réellement passé. Je veux simplement vérifier: quelque chose se passe à l'intérieur de moi et si je ne te le dis pas, je vais avoir envie de te critiquer. Or, je n'ai pas le goût de critiquer!" En disant quelque chose du genre, tu as été vraie envers toi-même et envers ton interlocutrice. Quelle que soit sa réaction, tu as agi en conformité avec toi-même. Tu verras graduellement qu'il est de plus en plus facile d'être vraie.

Quelle est ta réaction quand tu entends des paroles autoritaires, quand on te dit quoi faire, quand et comment le faire, ou pourquoi ne pas le faire? As-tu envie de faire exactement le contraire de ce qu'on vient de te dire? Es-tu en réaction à l'autorité? Souviens-toi de la théorie du miroir: si une attitude te dérange, c'est qu'elle reflète quelque chose qui est en toi. Peut-être ne veux-tu pas l'admettre? Il se peut que tu n'agisses pas en personne autoritaire, mais au fin fond de toi, il pourrait très bien y avoir un penchant pour cette attitude. De toute façon, si tu agis d'une certaine manière alors qu'en toi-même il se passe toute autre chose, le résultat sera toujours la critique. Il peut s'agir de la critique de toi-même ou de la critique des autres, peu importe. Mais pendant ce temps-là, personne n'est bien autour de toi. Ce climat de critique a pour effet d'émettre des vibrations de malaise autour de toi.

Plutôt que d'entendre des paroles d'autorité, tu peux choisir d'entendre des mots d'amour! Celle qui te semble autoritaire est bien souvent une personne qui projette une personnalité forte en vue de masquer sa peur, justement. Il se peut aussi qu'elle veuille vraiment t'aider, mais elle le fait d'une façon autoritaire parce que c'est la seule qu'elle connaisse. Elle exprime sans doute ce qu'elle a appris dans son enfance; c'est probablement de cette façon qu'elle a été aimée de ses parents et c'est ainsi qu'elle t'exprime son amour. Donc, si tu ne t'appliques qu'à voir de l'amour, de la peur ou de la souffrance chez les gens autoritaires, tu n'entendras plus les mêmes mots. Ceux-ci ne seront plus perçus comme une menace.

Voilà ce qui s'appelle utiliser ses oreilles pour entendre de l'amour, pour se mettre en contact avec le **DIEU** intérieur de chacun. Tu sais, les humains n'ont pas encore appris à exprimer leur **DIEU** intérieur. Ça sort souvent tout croche! Nous sommes des débutants dans l'art d'exprimer le grand amour qui nous habite. Tu l'as sûrement toi-même vérifié: les mots que tu utilises ne sont pas toujours l'expression exacte de ce que tu ressens dans ton coeur. Si tu veux faire un acte d'amour envers toi-même, commence dès aujourd'hui à écouter vraiment lorsque les gens te parlent. Si le message n'est pas clair, demande-leur de recommencer et sois attentive à percevoir des mots d'amour. Ta vie sera radicalement transformée par cet excellent exercice.

Donc, tout ce que tu entends te donne un autre pouvoir pour changer ta vie. Pourquoi ne pas utiliser ces grands pouvoirs qui t'appartiennent? En fait, dès que tu n'acceptes pas ce qu'on te dit, que tu te mets en colère, tu abandonnes ton pouvoir. Et chaque fois que nous renonçons à notre pouvoir, nous vivons de la colère envers nous-mêmes. Cette colère s'accumule petit à petit pour finalement éclater. On perd alors le contrôle. Il est bon de comprendre aussi que la colère est très rarement dirigée contre quelqu'un d'autre. La plupart du temps, c'est plutôt contre soi-même qu'on en a. Même si c'est quelqu'un d'autre qui semble la déclencher et qui la reçoit, c'est contre soi-même que la colère est dirigée.

Les choses les plus désagréables qu'on entend venant des autres sont presque toujours des choses qu'on se dit soi-même ou qu'on devrait se dire, mais qu'on n'ose pas prononcer, qu'on ne veut pas entendre sortir de soi-même. C'est pourquoi notre superconscience nous met en contact avec des personnes qui nous disent de pareilles choses. Je sais bien que la vérité n'est pas toujours facile à entendre! On s'imagine que les autres ne nous aiment pas lorsqu'ils nous servent une vérité quelque peu choquante. La journée où on n'entend plus que de l'amour dans ces paroles, on n'en a plus peur. Quelle que soit la manière dont les gens s'expriment alors, on ne tient compte que de l'amour qui se cache dans les mots utilisés.

Pendant tes loisirs, que choisis-tu d'écouter? Une belle musique qui t'élève ou une autre qui te surexcite et t'énerve les sens? Choisis-tu des émissions éducatives qui t'aident à mieux te comprendre et t'aimer? Ecoutes-tu plutôt des émissions qui te troublent, te font peur, te font douter de toi ou te remplissent d'inquiétude face à l'avenir? Choisis-tu d'écouter de mauvaises nouvelles? Tu sais qu'il est malheureusement très rare qu'on annonce de bonnes nouvelles à la radio ou à la télévision. Quelqu'un en Californie a déjà lancé un journal où il n'y avait que de bonnes nouvelles. Résultat? Il a fait faillite! Nombreuses sont les personnes qui aiment écouter ou lire de mauvaises nouvelles. Cela leur permet de se dire: "Après tout, ma vie n'est pas si moche que ça!" Elles aiment se comparer à celles qui sont pires. Est-ce ainsi qu'on trouve le bonheur?

Pour te diriger vers le bonheur, écoute des choses merveilleuses, remplis-toi de choses extraordinaires. C'est ainsi que tu te dirigeras vers l'accomplissement de la joie. Pour le bonheur comme pour toute autre acquisition, il faut de l'étude. Si tu veux apprendre à jouer du piano, il te faut prendre des leçons. Si tu veux apprendre à patiner, tu dois prendre des cours de patin. Si tu veux être heureuse, tu dois étudier le bonheur.

Si tu es chez quelqu'un qui a choisi d'écouter quelque chose que tu n'as pas le goût d'entendre ou avec lequel tu n'es pas d'accord, que ce soit à la radio, à la télévision ou qu'il s'agisse d'une conversation, tu es toujours libre de demander qu'on change d'émission ou de sujet d'entretien. Si les gens n'acceptent pas, tu n'as qu'à changer de pièce ou aller faire autre chose qui te rendra heureuse. C'est ton libre choix! Personne n'est forcé d'écouter quelque chose qu'il ne veut pas entendre.

Tout ce qui existe sur terre est polarisé: le haut et le bas, le bien et le mal, etc. Certaines choses existent pour élever les êtres vers **DIEU**. D'autres leur font perdre contact avec **DIEU**. La meilleure manière de régler ta conduite face aux contraires est de te servir de ton discernement et de suivre ton intuition. La polarisation existe pour nous permettre d'exercer notre libre arbitre et d'expérimenter les conséquences de nos choix. **Tout sert à l'évolution de l'homme**.

Pour terminer ce troisième chapitre, voici la pensée sur laquelle tu pourras te concentrer pendant un minimum de vingt minutes pour les sept jours qui viennent.

***« CELUI-LÀ EST MON AMI,
QUI OSE ME CORRIGER.
UNE PAROLE QUI COMMENCE À ME DÉRANGER
EST UNE PAROLE
QUE JE COMMENCE À ENTENDRE. »***

CHAPITRE 4
TU ES CE QUE TU DIS

Chaque mot que tu utilises est habituellement l'expression de ce qui se passe en toi. Si tu veux savoir exactement qui tu es, si tu veux connaître ce que sont les pensées les plus secrètement enfouies à l'intérieur de toi, écoute alors les paroles que tu prononces. Ecoute-toi parler aux autres!

Une des règles d'or qui compte parmi les plus importantes, c'est de toujours être vraie! Il n'y a pratiquement pas d'excuse assez bonne pour s'empêcher de dire la vérité. Cela ne veut pas dire qu'il faille exprimer tout ce que tu penses, à chaque instant! Mais, quand tu ouvres la bouche pour parler, pour répondre à une question ou pour t'adresser à quelqu'un, il est impérieux autant pour toi que pour ton entourage que tu dises ta vérité. Dire ta vérité consiste à exprimer exactement ce qui se passe en toi. Une personne qui est vraie est quelqu'un qui pense, ressent, dit et fait la même chose.

Chaque fois que tu entres en conversation avec quelqu'un, veille à ce que votre échange soit bénéfique autant pour toi que pour l'autre. Si vous ne ressortez pas grandies et énergisées de votre entretien, chaque mot prononcé, chaque parole échangée représente une perte d'énergie. On dit d'ailleurs que le plus grand gaspillage d'énergie humaine vient d'un usage non bénéfique de la parole. Je ne t'apprends rien de nouveau en te disant que nous parlons beaucoup, et très souvent, pour rien.

QUI ES-TU?

Si quelqu'un te demande ton opinion à propos de quelque chose et que tu as peur de le blesser en t'exprimant franchement, tu peux toujours dire ceci: "J'ai peur de te blesser! Tu m'as demandé mon opinion et il se peut que tu n'aimes pas ma réponse... Par contre, j'ai le goût d'être vraie. Si tu ne me l'avais pas demandée, probablement que je n'aurais rien dit. Mais puisque tu veux connaître mon opinion, la voici...". L'autre n'aimera peut-être pas ta réponse au premier abord, mais il lui faudra peu de temps pour te respecter d'avoir été vraie. Elle se rendra compte qu'avec toi, elle sait à quoi s'en tenir, car tu es franche. S'il lui arrivait de ne pas aimer s'entendre dire la vérité, elle n'aurait simplement qu'à arrêter de te demander ton opinion.

Tu peux en faire autant si tu as quelque chose à dire à quelqu'un et que tu crains sa réaction tout en voulant particulièrement t'affirmer. Dis-le-lui avant de commencer à t'exprimer. Tu peux lui déclarer que tu as quelque chose à dire et que tu n'as pas le goût de passer par quatre chemins ni de broder autour, que tu as le goût d'être vraie et qu'il t'est important de dire exactement ce que tu penses, même s'il ne t'est pas facile de le faire.

Il y a un excellent exercice qui te permettra de vérifier si tu utilises ton énergie pour dire des paroles bénéfiques. Fais un relevé, à la fin de chaque journée, des conversations que tu as eues et demande-toi si, à l'issue de chacune d'elles, tu te sentais mieux, remplie, énergisée, plus dynamique . Si tu te sentais ainsi, tu remarqueras que ton interlocutrice se trouvait dans le même état.

Quand on t'arrive avec un commérage ou un racontar à propos de quelqu'un, il est bien important de l'arrêter sur-le-champ. Tu freines ainsi tout gaspillage d'énergie. Il va de soi que tu ne dois pas répandre ces cancans en les répétant à quelqu'un d'autre.

Si tu vis de la colère qui s'est accumulée parce que tu n'as pas su t'affirmer en certaines occasions, n'oublie pas qu'exprimer une colère peut être un moyen très sain de te libérer de toute cette accumulation intérieure de stress. Evidemment, il doit s'agir d'une colère bien maîtrisée et bien dirigée **sans but de changer l'autre**. Tu sais exactement quels mots tu prononces, tu demeures bien consciente et tu ne perds jamais les pédales... Une colère exprimée avec un débordement d'émotions n'est pas saine ni bénéfique pour quiconque. En général, les gens croient qu'exprimer une colère équivaut à manquer de contrôle. Il est beaucoup mieux de l'exprimer, même en parlant fort, en étant ferme, que de la ravaler.

Si tu es le genre de personne qui a beaucoup de mal à s'affirmer, à dire sa façon de penser, exerce-toi dès aujourd'hui à le faire afin de connaître de petites victoires quotidiennes. Bien souvent, il ne s'agit que de dire un petit quelque chose de plus que tu ne l'aurais fait normalement. Tu verras, l'énergie utilisée à cet effort sera largement compensée par le sentiment de bien-être que tu découvriras. Par la pratique régulière, cela deviendra graduellement de plus en plus facile, comme pour n'importe quoi d'autre d'ailleurs.

Si tu veux être écoutée des autres, il importe de te souvenir du point suivant: ne tente pas d'être trop différente de ton interlocutrice. Quand on entretient volontairement une grande différence avec les autres, cela mène souvent à l'orgueil spirituel. Il est très facile de se croire meilleure et supérieure aux autres, et beaucoup tombent dans ce piège.

Il est capital de réaliser aussi que le pouvoir de la parole est extrêmement fort. As-tu déjà été attentive à t'écouter réellement, à prendre conscience des mots que tu utilises? Les mots et les expressions dont tu te sers sont très révélateurs de ce qui se passe en toi. Certaines personnes vont répliquer, par exemple, au cours d'une conversation: "Non, non! Ce n'est pas ce que j'ai voulu dire. Je voulais plutôt dire que..." Et elles se reprennent avec un mot contraire à ce qu'elles prétendaient vouloir dire. Trop tard, car le premier mot utilisé reflétait vraiment le fond de leur pensée!

Chaque fois que tu commences une phrase en utilisant l'expression "**J'aimerais**", tu n'es certainement pas en train de parler d'amour... Au contraire, tu es en train de dire: "**J'ai peur**!" Regarde attentivement cet exemple: "J'aimerais donc ça faire un voyage l'an prochain!" Cette phrase signifie: "Je désire faire un voyage, mais j'ai peur de ne pas pouvoir le faire." La cause de cette peur peut être le manque d'argent, de temps, ou encore le sentiment de ne pas mériter ce voyage, tout simplement. Et, comme tu sais, chaque fois que tu as peur de quelque chose, tu fais immanquablement se manifester cette chose. Alors, tant et aussi longtemps que tu diras: "J'aimerais faire un voyage", sois assurée que ce voyage ne se réalisera pas!

Quand tu utilises l'expression "**Je ne voudrais pas...**", tu exprimes aussi **une peur**. Regarde les exemples suivants: "Je ne voudrais pas que mon fils se drogue", "Je ne voudrais pas que mon mari me laisse", "Je ne voudrais pas perdre mon travail". Ces trois phrases expriment des peurs qui sont profondément ancrées dans le subconscient de celle qui les prononce. Or, ces peurs sont en train de faire un travail sournois dans l'esprit qui les abrite, et elles finiront par faire en sorte que se réalisent les événements appréhendés.

Si tu dis, par exemple: "**Je voudrais** donc parler anglais!", tu es en train de dire: "**Je veux** parler anglais, **mais j'ai peur** de ne pas être capable de l'apprendre". Par le seul fait de penser ou de dire: " Je ne suis pas capable", tu bloques l'énergie qui te permettrait d'apprendre l'anglais. Comment? Souviens-toi bien de ceci: tu es la seule personne au monde qui soit capable de créer ta vie et tu la crées selon ce que tu penses, ce que tu dis, ce que tu vois, ce que tu entends et ce que tu ressens. Chacun de tes pouvoirs a beaucoup d'influence dans ta vie, et il n'en tient qu'à toi de bien les utiliser.

Quand tu emploies l'expression "**Je ne devrais pas**" dans des phrases comme celles-ci: "Je ne devrais pas me coucher si tard!", "Je ne devrais pas tant dépenser!", tu es en train de dire ceci: "C'est ce que **je veux** faire, mais à un moment ou l'autre, **j'ai décidé que ce n'était pas bien, pas raisonnable, pas correct**"... Alors, quand tu veux faire quelque chose, et que l'idée "pas raisonnable" prend le dessus, tu n'écoutes pas tes vrais besoins. C'est ton intellect qui a pris le contrôle: il raisonne et décide pour toi. Et l'intellect est influencé par des décisions que tu as prises pendant ton enfance, à une époque où la notion de bien et de mal menait ta vie et celle de tout le monde dans ton entourage. Beaucoup de tes décisions ont alors été basées sur cette notion de bien et de mal au lieu d'être fondées sur ce que tu voulais véritablement. En réalité, si tu décides que tu veux te coucher tard, que tu veux dépenser et que tu y as droit, si tu décides que tu n'as de comptes à rendre à personne, tu vas t'organiser et tu vivras cela très bien. Chaque fois que tu te couches tard en te disant: "Je ne devrais jamais me coucher si tard!", tu te sens coupable, et, le lendemain, tu es deux fois plus fatiguée! Quand tu dépenses de l'argent en pensant: "Je ne devrais pas dépenser autant!", tu vas te sentir coupable et tu ne jouiras pas pleinement de l'objet acquis.

Quand on achète un objet en se sentant coupable, il arrive même souvent qu'on le brise ou qu'on le perde, justement pour se punir de l'avoir acheté. Il est donc important d'écouter ses vrais besoins plutôt que son intellect.

Quand tu utilises les mots "**Je devrais**"..., tu prouves alors que tu te fais des demandes irréalistes, ce qui requiert beaucoup d'énergie. "Je devrais faire mes exercices chaque jour!", "Je devrais être plus patiente envers les enfants!", "Je devrais finir mes études!" Quand tu prononces une phrase de ce genre, ce que tu dis véritablement est ceci: "**Il serait mieux de** ...(encore la notion de bien et de mal!)**, mais je ne veux pas le faire**." Si tu essaies malgré tout de réaliser ce "Je devrais", tu agis contre ton désir réel. C'est encore ton intellect, par le biais de ta notion de bien et de mal qui prend le dessus et qui mène ta vie.

Commences-tu à comprendre l'importance des mots? Écoute bien les autres, écoute-toi bien, et tu en viendras à te connaître davantage.

Chaque fois que tu dis: "**Je n'ai pas eu le temps**" ou que tu emploies une variante de cette même expression, c'est une illusion. Tu es en train de te raconter des histoires... En effet, tu as simplement choisi de faire quelque chose de **plus important ou de plus intéressant**. Deviens plus vraie envers toi-même! Au lieu de t'en faire accroire, reconnais que ce n'était pas en raison du manque de temps que tu n'as pas fait telle chose. Tu as tout à fait le droit de choisir ce que tu veux faire et tu n'as besoin d'aucune justification si tu changes de priorités.

S'il t'arrive d'utiliser l'expression "**tuer le temps**", prends conscience de ceci: ce que tu gaspilles (le temps!) est ce que tu as de plus précieux. Chaque minute de ta vie doit être utilisée pour manifester la perfection dans ton environnement immédiat et non pour tuer le temps. Le mot "tuer" ne devrait exister dans le vocabulaire d'aucune langue. Son utilisation révèle la violence intérieure de la personne qui s'en sert. S'il t'arrive de dire au sujet de quelqu'un contre qui tu es en colère: "Je vais le tuer!", regarde la violence que tu héberges en toi. Cette violence est souvent dirigée contre toi-même, et si tu la laisses s'accumuler, avec le temps, elle provoquera en toi des maladies violentes ou encore le contact de personnes violentes dans ton entourage. Tu as été placée sur terre pour aimer, pas pour tuer!

On emploie aussi beaucoup le verbe "**essayer**" à toutes sortes d'usages où il a le sens d'une intention plus ou moins vague. Quand tu te sers de ce verbe dans ce sens-là, tu es en train de dire que tu n'as pas vraiment décidé de poser le geste en question. Imagine, par exemple, que tu donnes rendez-vous à quelqu'un pour six heures, demain soir, à un restaurant et que la personne te dise: "Je vais essayer d'être là!" Tu crois qu'elle y sera vraiment? Il y a 90% des chances pour qu'elle n'y soit pas. Le moindre petit contretemps la fera changer d'idée puisqu'en disant: "Je vais essayer d'être là", elle ne s'est pas réellement engagée. Par contre, si elle dit: "Je serai là à six heures, compte sur moi!", alors tu sais qu'il y a 90% des chances pour qu'elle y soit. Ainsi, chaque fois que tu dis quelque chose comme: "J'ai essayé de lui parler", ou "J'ai essayé de comprendre", etc., c'est que tu n'avais pas vraiment l'intention de le faire.

Une expression dont on se sert des centaines de fois chaque jour, c'est "**Il faut**". Si tu pouvais enregistrer tes conversations sur un magnétophone, tu serais éberluée de constater le grand nombre de fois que cette expression franchit tes lèvres. Chaque fois que tu utilises l'expression "Il faut", tu es dans ta tête. C'est ta notion de bien et de mal qui décide pour toi. Tu sais, les personnes qui agissent parce qu'il faut faire, penser ou dire telle chose finissent toujours par perdre leur propre pouvoir. Elles se sentent assujetties à une loi qui, quelque part, leur dit: "Il le faut, tu n'as pas le choix!"

D'où vient-il donc ce "Il faut"? Qui a décidé qu'il fallait telle ou telle chose? **TU AS TOUJOURS LE CHOIX!** Tu n'as qu'à déclarer: "Non, il ne faut pas! Dans la vie, j'ai le choix de tout ce que je fais. Lorsque je choisis quelque chose, il y a un prix à payer. Suis-je prête à payer ce prix-là?" Voilà tout ce qu'il y a à faire. En face d'une alternative comme, par exemple, le fait d'aller travailler ou non, observe attentivement ce qu'il va t'en coûter si tu n'y vas pas. Demande-toi si tu es prête à en payer le prix. Dans le cas d'une réponse négative, tu viens tout simplement de choisir d'aller au travail. Bien sûr, ce n'est pas ton premier choix, mais tu n'étais pas prête à subir les conséquences d'une absence. Au moins, c'est ton choix et tu viens de sortir du "Il faut", cette énergie d'une obligation imposée de l'extérieur. Quand tu pars pour ton travail en te disant: "J'ai choisi de travailler parce que je ne veux pas payer le prix de ne pas y aller", tu ne seras pas dans la même énergie que si tu y étais allée parce qu'il fallait que tu y ailles. Dans ce dernier cas, tu serais revenue chez toi, le soir, complètement vidée, exténuée. La journée t'aurait parue interminable parce que tu étais victime d'une obligation imposée.

Commences-tu à réaliser l'importance de cette notion de choix? **Choisir est l'un des grands pouvoirs de l'être humain**. Nous sommes les seules créatures qui possèdent ce pouvoir. Le monde minéral, végétal ou animal n'a pas ce pouvoir. Le poulet, par exemple, n'a pas une grande marge de manoeuvre: sa seule perspective est de finir sur la table de quelqu'un...

Toi, en tant qu'humain, tu possèdes le grand pouvoir de choisir. Et, chaque fois que tu dis "Il faut", tu viens malheureusement de perdre le contact avec ce pouvoir. Or, moins tu es en contact avec ton pouvoir, plus tu essaies d'en prendre sur les autres. C'est un phénomène tout à fait courant sur la planète. Lorsque tu seras devenue plus consciente de tes pouvoirs, que tu seras continuellement en contact avec eux, tu n'auras plus du tout envie de chercher à dominer les autres. Tout va te sembler tellement plus facile! Imagine toute l'énergie que tu vas être en mesure d'utiliser pour toi au lieu de la gaspiller à manoeuvrer les autres.

Les expressions communes du genre "**Je pense**", "**Peut-être**", "**Il me semble**", "**C'est comme**", etc. dénotent que la personne est en train d'analyser au moment où elle les emploie, quand elle parle d'elle-même. Si, par exemple, je te demande: "Comment te sens-tu?" et que tu me réponds: "Je pense que je suis choquée!", tu es en train de me dire que tu analyses ton émotion. Si, par contre, tu dis: "Je suis choquée", là, je sais vraiment ce qui se passe en toi. L'expression: "Je pense que je suis choquée" ne révèle pas vraiment ce qui se passe en toi. Demande aux membres de ton entourage s'ils t'entendent souvent dire: "Je pense que..." Si tel est le cas, cela démontre que tu n'es pas véritablement en contact avec ton être profond: tu l'es plutôt avec ton intellect qui, lui, te fait demeurer en surface.

Utilises-tu souvent l'expression: "**Je ne suis pas capable**"? Sois attentive à ce que tu crois sincèrement ne pas être capable de faire. Détermine ensuite si tu as vraiment fait un effort pour réaliser ce que tu dis n'avoir pas été capable de faire. Après vérification, tu vas peut-être prendre conscience que tu peux faire beaucoup plus que tu ne le penses. Le pouvoir de ta parole est vraiment très grand.

Utilises-tu souvent, au cours de tes conversations, le mot "**écoute!**"? Cette expression est fréquemment employée par la grande majorité des gens. Quand tu ordonnes aux autres d'écouter, c'est un signe d'autoritarisme et d'orgueil. Personne n'est obligé de t'écouter! Le plus drôle de l'affaire, c'est que les personnes qui utilisent souvent cette expression n'aiment pas les gens autoritaires qui les font réagir fortement. Ton emploi de ce mot te permet de te situer face à toi-même et de reconnaître que tu es, toi aussi, une personne autoritaire, même si tu ne te perçois pas comme telle. Etre autoritaire, tout comme n'importe quel attribut humain ou qualité, peut être soit bénéfique, soit non bénéfique. Tout dépend de l'usage qu'on en fait. Si on s'en sert en vue d'aider quelqu'un d'autre ou encore pour diriger en tant que chef, bravo! C'est quand on s'en sert pour dominer ou pour changer l'autre qu'il serait bon d'en reconsidérer l'usage.

Il y a beaucoup de gens qui commentent des choses fantastiques en se servant des expressions suivantes: "**C'est effrayant!**", "**C'est écoeurant**", "**C'est épouvantable!**", "**C'est impossible!**", "**Ça ne se peut pas!**" Es-tu une habituée de ce type de langage? -"C'est effrayant comme c'est beau!", ou bien: "Ça ne se peut pas de vivre quelque chose d'aussi merveilleux!"- Si c'est le cas, tu viens de bloquer cette belle énergie par tes paroles. Ce qui se cache derrière elles, c'est le sentiment profond que tu ne mérites pas ces belles choses-là. Alors pourquoi se manifesteraient-elles de nouveau dans ta vie si, au moment où elles t'arrivent, tu dis: "Non! Je ne mérite pas ça"?

Une autre catégorie d'expressions très répandues est formée d'une négation pour exprimer de l'approbation. "**C'est pas pire!**" "**C'est pas mal!**" "**C'est pas mauvais!**" Sois attentive! Deviens de plus en plus consciente de ce que tu dis vraiment. Plus ton vocabulaire comporte d'expressions de ce genre, plus tu trahis ce que tu penses vraiment de toi-même. Or, on devient toujours ce qu'on pense. Si tu as décidé de bannir certaines de ces expressions, demande à tes proches de t'avertir lorsque l'une d'elles t'échappera. Ce sera un excellent moyen de faire encore un peu plus pour t'aider toi-même.

Les humains, en général, sont profondément convaincus que la vie doit être faite de souffrances, de misères et d'efforts, et que plus c'est difficile, plus c'est méritoire. Cela se trahit dans le langage. Prenons cette expression: "**Ça valait la peine** de prendre ces cours-là: je sais bien danser maintenant!" Il serait bien plus sain de dire: "Ça m'a **valu** beaucoup de **plaisir** d'apprendre à danser!"

C'est sans réfléchir que nous employons tous la plupart de ces expressions. Toutefois, elles ont beaucoup d'influence dans nos vies.

Les mots que tu prononces doivent être des mots qui te donnent de l'énergie. Combien de fois par jour utilises-tu le verbe **aimer**? "J'aime mon travail", "J'aime la nature", "J'aime mon corps". Combien de fois dis-tu: "**Je t'aime**" à ton conjoint, à tes enfants, à tes collègues, à ton patron? Tant de personnes critiquent sans cesse le patron sans lui avoir jamais dit qu'elles aimaient travailler pour lui, qu'elles aimaient sa façon de travailler ou l'atmosphère de leur milieu de travail.

Voici l'expression qui a la plus grande influence dans ta vie: "**Je suis**". Dès que tu utilises ces mots, tu crées, car le "Je suis" est relié à l'énergie la plus puissante qui soit! En effet, elle est la puissance créatrice de **DIEU**, le **Verbe**. Chaque être humain est l'expression de **DIEU**. Quand je dis:

"Je suis", c'est comme si je disais: "**DIEU** est!" Donc, aussitôt que je me sers de cette expression, ce n'est rien de moins qu'un ordre inconscient que je donne à mon **DIEU** intérieur qui va immédiatement créer ce que je viens d'affirmer. Réalises-tu ce que tu crées dans ta vie lorsque tu dis, par exemple: "Je suis malade", "Je suis imbécile", "Je ne suis pas capable", "Je suis rejetée", "Je ne suis pas aimée"? Assurément, le pouvoir du "Je suis" est le plus grand qui soit. Même ce que tu n'aimes pas est créé avec ton énergie divine. C'est tout simplement de l'énergie mal qualifiée.

Pourquoi donc ne pas utiliser ce merveilleux pouvoir, dès aujourd'hui, pour créer des prodiges dans ta vie? "Je suis belle!", "Je suis capable!", "Je suis intelligente!", "Je suis aimée!", etc. Pourquoi ne pas passer quelques instants, chaque jour, à dire, avec énergie, (pas seulement penser!) plusieurs "Je suis...", même si tu crois que ces paroles ne décrivent pas ta réalité présente? Par le seul fait de dire "Je suis capable!", tu mets en mouvement l'énergie qui te fera devenir capable. C'est cela, créer! Prenons un exemple qui illustre bien ceci. Imagine que tu es peintre et que tu commences un nouveau tableau. Il est bien évident qu'on ne verra pas grand chose sur ta toile après seulement quelques coups de pinceau. Mais si tu persévères, le beau visage que tu peins apparaîtra bientôt sur ton tableau. C'est la même chose quand tu dis "Je suis". Tu es alors en train de faire une ébauche de ce que tu vas devenir. Là comme pour l'exemple des coups de pinceau, tu dois commencer par le commencement si tu veux voir quelque chose se réaliser sur la toile de ta vie. Chaque fois que tu dis "Je suis capable d'accomplir telle ou telle chose", tu alimentes cette création qui, un beau jour, ne manquera pas de se réaliser.

Avant de terminer ce chapitre, je veux attirer ton attention sur l'importance du **rire**. Le rire est un autre grand cadeau qui a été donné aux habitants de cette planète.

Selon une théorie, les êtres qui vivent sur d'autres plans n'auraient même pas le pouvoir de rire. Ris-tu souvent? Sais-tu que le rire est si extraordinaire qu'il a permis à certaines personnes de se guérir du cancer? As-tu entendu raconter l'histoire de cet homme qui a systématiquement passé des mois à regarder des films comiques, à lire des choses drôles et qui s'est ainsi guéri d'un cancer? Surprenant? Pas tant que ça: la vie doit être une partie de plaisir et non pas un drame perpétuel! Si tu as de la difficulté à pratiquer le rire, entoure-toi de gens drôles. Regarde des choses drôles. Planifie même, chaque jour, de jouer un tour à une personne et pendant que tu en riras avec elle, vous serez toutes deux des gagnantes!

Un autre moyen de rire est d'apprendre à observer le film de ta vie plutôt que d'en être seulement l'actrice. Quand tu es dans une situation émotive difficile et que tu en deviens la spectatrice, il est beaucoup plus facile d'en rire. Ou imagine-toi trois mois plus tard en train de regarder cette situation passée. Tu la trouveras drôle!

Pour terminer ce chapitre,voici la pensée que je t'invite à méditer pendant les sept jours qui suivent:

***« LA SEULE PERSONNE
ENVERS QUI JE DOIS ÊTRE VRAIE
EST MOI-MÊME. »***

CHAPITRE 5
TU ES CE QUE TU PENSES.

Tes pensées ont beaucoup d'importance dans ta vie car tu deviens ce que tu penses. Tu deviens non seulement ce que tu penses de toi-même, mais aussi ce que tu penses des autres. Que tu l'acceptes ou non, ce que tu crois des autres est vu à travers les filtres de ton intellect, et c'est exactement ce que tu penses de toi-même.

Quelles sont les personnes les plus importantes de ta vie? Ce sont tes parents ou ceux qui ont joué le rôle de parents quand tu étais jeune. Que penses-tu réellement d'eux? Je suis sûre que tu as nourri des milliers de pensées au sujet de ces personnes et que tu ne les as jamais exprimées. Tu en as peut-être partagé quelques-unes avec d'autres, mais la plupart sont restées enfouies en toi: tu ne les as pas exprimées. Tout ce que tu as pensé d'eux s'est formé en toi. Comme je te l'ai indiqué auparavant, à mesure que tu penses, tu crées. C'est un autre de tes grands pouvoirs que celui qui te permet de créer au moyen de tes pensées.

Malheureusement, il y a des centaines de pensées qui se bousculent dans notre esprit, sans que nous en soyons conscientes. Voici un exemple qui t'aidera à comprendre cette réalité: Tu regardes un film angoissant, mais tu n'es pas consciente d'avoir peur au moment où tu le regardes. Dans ce film, il y a des éléments, des situations qui réveillent des peurs que tu as connues alors que tu étais petite. Tout ce que tu sais, c'est que tu ne te sens pas trop bien à la fin du film.

Tu as le vague sentiment que ce film est venu réveiller quelque chose qui fait mal mais tu ne veux pas aller toucher à cela. Tu ne pourrais pas non plus mettre de mots sur cette peur qu'il y a en toi et que ce film a déclenchée. Ces peurs sont donc du domaine de l'inconscient, et ce domaine est extrêmement vaste. C'est pourquoi il est très important que tu deviennes consciente de ta vie pour au moins savoir ce que tu fais, dis, penses ou ressens qui ne t'est pas bénéfique. Tu deviens alors en mesure de te servir de ton pouvoir pour créer autre chose. Mais tant que tu es inconsciente, tu ne peux rien transformer car tu ne sais même pas ce qui t'arrive.

Il y a toujours des gens dans ton entourage qui sont comme toi. Leur manière de penser pourra t'aider à prendre conscience de tes pensées souvent inconscientes. Maintenant que tu apprends à connaître ce grand pouvoir de la pensée, ne crois-tu pas important de n'avoir désormais rien que des pensées d'amour, de gratitude, de générosité et de compassion? A mesure que ces pensées vont gagner la préséance sur tes autres pensées, tu vas t'attirer de plus en plus de gens qui auront ce mode de penser-là. Tu seras alors entourée de personnes merveilleuses.

Que penses-tu de ta mère? Qu'elle a été injuste? Alors, plus tu penseras que ta mère a été injuste, plus tu deviendras toi-même injuste! Chaque pensée que tu nourris s'imprègne de ton énergie et cette énergie se manifeste toujours par le biais de ta personnalité et de ton comportement.

Et ton père? Penses-tu qu'il a été trop sévère, trop autoritaire? Eh bien! Continue à le penser et tu deviendras comme lui. Même si tu ne veux pas le voir, même si tu tentes d'agir à l'opposé de lui, tu es au fond de toi-même un être autoritaire et sévère. Vérifie avec les gens de ton entourage, ils sauront te dire que c'est bien ce qui ressort de toi: une personne sévère envers elle-même et sévère envers les autres.

Que penses-tu de ton conjoint? N'as-tu pas constaté que ce que tu penses finit toujours par se réaliser? Si tu penses qu'il est sans coeur, qu'il ne t'aide pas assez à la maison, que tu dois tout faire toute seule, etc., avec les années, il deviendra exactement comme cela. Si tu penses que ton conjoint n'est qu'un obsédé sexuel, qu'il t'en demande toujours trop sur ce plan-là, plus le temps passera, plus il t'en demandera. Si tu penses qu'il n'est qu'un enfant, qu'il n'est pas capable de prendre de décisions, que tu dois toujours tout décider à sa place, avec les années, il prendra de moins en moins de décisions et te laissera tout prendre en charge.

Toutes les pensées que tu émets forment une vibration autour de toi. Aussitôt qu'une pensée est émise, elle est reçue par l'autre à qui elle s'adresse. Tout cela se fait dans l'inconscient, dans l'invisible. A mesure que les gens deviendront plus conscients, ils s'apercevront qu'ils ne peuvent plus mentir parce qu'ils deviendront en même temps de plus en plus conscients de ce qu'ils reçoivent des autres en retour. Ne te fais donc pas d'illusions! Même si tu crois que tes pensées sont secrètes, elles ne le sont pas. Nous faisons toutes partie d'un tout et nous sommes reliées de l'intérieur à la même énergie. C'est exactement comme si une des cellules de ton corps n'était pas bien: les autres sauraient que celle-là est malade car les millions de cellules de ton corps font partie d'un tout. De même, les cinq milliards d'humains font partie d'un tout qui s'appelle la planète Terre, qui est une entité par elle-même et dont nous sommes les cellules. Aussitôt que tu envoies une pensée d'amour ou de haine à quelqu'un, cette pensée est tout de suite reçue par l'autre personne. Les pensées qui sont contraires à l'amour ont pour effet d'éteindre la lumière intérieure de celui qui les émet. Elles nous empêchent de bien voir l'autre et de communiquer avec elle. Les pensées d'amour émettent de la lumière, elles éclairent ton environnement. Plus deux personnes s'envoient de pensées d'amour, plus la communication devient claire entre elles.

Que penses-tu de tes enfants? Est-ce que tu penses que ton fils est paresseux, qu'il ne fera rien de bon de sa vie? Si tu continues à nourrir ce genre d'inquiétudes à son sujet, c'est ce qui se produira. Selon toi, ton fils sera toujours un raté. Peut-être qu'à ses yeux à lui et aux yeux des autres, ce sera différent. Mais, dans ton monde à toi, dans ta vie telle que tu l'as créée, il n'y aura qu'un garçon raté parce que c'est ce que tu crois. C'est la raison pour laquelle chaque individu a une vision différente des choses: tout va selon nos pensées. Pourquoi ne pas te servir de ce grand pouvoir et commencer à imaginer ce que tu veux vraiment, exactement comme tu le désires?

Que penses-tu de toi quand tu te regardes? Est-ce que, chaque année, tu te penses plus vieille à l'approche de ton anniversaire? La pensée de vieillir est en soi la première des causes qui déclenche le vieillissement chez les gens. Si les anniversaires n'avaient pas été inventés, nous n'aurions jamais entendu parler d'âge! Les années passeraient et nous ne saurions pas que nous vieillissons d'un an de plus. Nous n'aurions pas été mis en présence de ce concept d'âge et sûrement que l'être humain vieillirait beaucoup moins vite.

Un jour, un nouvel associé qui était impressionné par la vigueur d'un président de compagnie qui travaillait encore à temps plein à 80 ans passés lui demanda: "Quel âge avez-vous?" L'octogénaire répondit: "Mon fils, mon âge n'est pas de **mes** affaires!" Il avait trouvé la recette de la jeunesse!

TU ES CE QUE TU PENSES

Songes-tu souvent au fait qu'il n'y a **pas assez** de quelque chose dans ta vie? Si tu as sans cesse besoin de quelqu'un d'autre pour remplir ta vie, c'est qu'il y a une pensée ou un **sentiment de manque**. Quand tu es en contact avec ton **DIEU** intérieur, tu as une grande puissance créatrice et tu sens que tu ne peux jamais manquer de rien. Regarde la nature qui t'environne. Il y a tellement à apprendre quand on l'observe! Regarde, par exemple, les petits animaux sauvages: manquent-ils de quelque chose? La nature en prend soin et ils survivent. Quand ils meurent, c'est simplement en vertu d'un processus normal.

Quand tu songes à ton compte de banque, est-ce que tu te dis: "J'ai seulement tant d'argent." Quand tu penses à ton salaire, est-ce que tu penses: "Je ne gagne que ça"? Te compares-tu souvent aux personnes qui sont mieux nanties? Quand tu regardes la télévision, as-tu l'impression de manquer de quelque chose? Dans le monde d'illusion de la télé, les gens semblent tout avoir... Continue de penser au manque et tu vas sûrement continuer de connaître la pénurie.

Est-ce que tu crois ne pas avoir assez d'amour? Te penses-tu insuffisamment aimée? Au lieu de nourrir de telles pensées, il serait tellement plus agréable de commencer à donner de l'amour et d'être généreuse en tout. Donne de ton temps, de ton énergie, de ton argent, de ton amour, de ton affection, de tes belles paroles. A mesure que tu vas donner, sans attentes, tu te rendras compte que tu es riche puisque tu peux donner autant. Tu vas ainsi pouvoir entretenir la pensée d'en avoir plus que le nécessaire car tu peux te permettre d'en donner.

On dit qu'être pauvre constitue une grande misère morale car le pauvre ne sait que recevoir, il ne sait pas donner. Une des grandes lois de la prospérité est celle-ci: pour obtenir l'abondance, apprends à **donner sans cesse**. Donner t'amène à penser que tu possèdes beaucoup. Comme toutes les autres pensées, celle-ci influence ta vie. En conséquence, tu connaîtras de plus en plus l'abondance.

Donc, s'il t'arrive de penser que tu ne reçois pas toujours ce que tu désires, qu'il y a des choses que tu voudrais mais dont tu manques, c'est qu'il y a en toi une pensée qui t'amène à connaître la pénurie. J'ai reçu récemment un exercice à ce sujet et je l'ai trouvé excellent pour moi. C'est pourquoi je désire le partager avec toi. Le voici: fais une liste de cinq choses matérielles ou autres (argent, affection, compliments, etc.) dont tu penses manquer. Trouve le moyen de donner un peu de chacune de ces cinq choses dans les prochaines vingt-quatre heures. Chaque fois que tu donnes, respire profondément et dis-toi ceci: "Ce que je donne m'est retourné multiplié." Répète cet exercice chaque jour pendant une semaine et quelque chose ne manquera pas de changer dans ton mode de penser et dans ce que tu recevras.

As-tu des pensées de doute envers quelqu'un? As-tu l'impression qu'on tente de t'avoir ou de te voler quelque chose? Prends conscience de ce que ces pensées de doute viennent de toi. Si tu n'étais pas ainsi toi-même, tu ne pourrais jamais y songer. Si tu crois qu'on est en train de t'avoir ou de te voler, alors, regarde ce que toi, tu voles aux autres, ou à quel moment tu essaies d'avoir quelqu'un d'autre. Car si tu ne fais pas la démarche d'aller voir en toi, tu vas continuer à avoir de telles pensées envers les gens, et ce que tu crains t'arrivera. Sans doute te diras-tu alors: "Je savais que ça allait m'arriver! Je me doutais bien qu'elle essayait de m'avoir!" Là, tu seras heureuse car tu auras donné raison à ton orgueil. Ton intellect aussi sera flatté de même que ton orgueil qui, ainsi nourri, grandira encore. Les humains sont tellement orgueilleux qu'ils sont même prêts à souffrir pour se donner raison.

La souffrance, tu sais, n'est pas du tout nécessaire. Jusqu'à présent, nous l'avons beaucoup utilisée pour évoluer. Quand l'être humain sera assez sage pour se rendre compte qu'il peut évoluer sans souffrir, il pourra alors mettre un terme à ses souffrances.

T'arrive-t-il de croire que ton conjoint te triche, qu'il s'intéresse à une autre? Si tel est le cas, c'est que, toi, tu as des pensées d'infidélité. Tu n'en es peut-être pas consciente, mais il y a en toi une insatisfaction qui produit ces pensées. Si tu pouvais te le permettre, tu aimerais sans doute être infidèle. Bien sûr, tu n'oserais jamais faire cela! Mais, inconsciemment, nous nous servons bien souvent de la fidélité pour prendre du pouvoir sur l'autre. Tu proclames: "Moi, je ne ferais jamais cela!" quand, dans ton for intérieur, tu souhaiterais peut-être le faire. Souviens-toi que penser une chose et ne pas la faire ne signifie pas que tu es une meilleure personne que celle qui y pense et qui la fait. C'est même pire! La personne qui pense une chose et qui se fait accroire qu'elle n'y pense pas n'est pas vraie envers elle-même. Quant à l'autre qui agit conformément à ce qu'elle pense, au moins, elle est vraie envers elle-même.

Si tu as de la difficulté à accepter que les gens de ton entourage ne pensent pas comme toi, c'est un signe d'égoïsme. L'égoïsme est présentement l'un des plus grands fléaux sur terre. Nous croyons toujours agir par amour, alors qu'en réalité nous tentons d'imposer nos vues à nos proches. En fait, quand on agit ainsi, c'est pour se faire sentir bien et pour avoir raison. Quand l'autre te dit: "Ah oui! C'est plein de bon sens ce que tu viens de dire. Je suis entièrement d'accord avec toi!", tu viens de recevoir quelque chose qui te fait plaisir. Si, au cours de ton existence, tu passes ton temps à faire, à dire ou à penser des choses uniquement pour te faire plaisir au détriment des autres, c'est de l'égoïsme. Car aimer, c'est découvrir ce qui fait plaisir à l'autre, et tenter le plus possible de lui faire plaisir. C'est aussi vérifier avant de décider, et non pas imposer ta façon de penser. Il est tellement facile de décider pour l'autre! Ce que je veux dire quand je parle de mal utiliser notre pouvoir, c'est en rapport avec le fait de vouloir prendre du pouvoir sur l'autre. Si tu es une femme forte, si tu as un caractère fort, il est certain que tu vas avoir tendance à imposer tes points de vues aux autres. Commence tranquillement à écouter, à vérifier ce que les gens pensent de telle situation, de tel événement, de telle personne ou de tel travail. Garde un esprit ouvert, et tu vas découvrir un autre univers. Car tant que tu veux que les autres pensent comme toi, tu vis dans ton monde et ce monde-là est très limité. En t'ouvrant à celui des autres, tu découvriras des merveilles que tu aurais pris des années à explorer toute seule. Cela ne signifie pas qu'il faille tout prendre ce que les autres disent ou pensent. Cela ne veut pas dire d'accepter en bloc toutes leurs façons de penser! Il y a là par contre une occasion formidable d'apprendre à développer ton discernement.

Tout ce que l'être humain vit en fait d'expériences est toujours l'effet de ses pensées. Si tu n'aimes pas ta vie présente, accepte tout d'abord que ce sont tes pensées qui l'ont faite ce qu'elle est, que ce sont tes pensées qui en sont la cause. Change la cause et l'effet changera. Tout ton passé peut être changé dès aujourd'hui si tu le désires. En effet, ton plus grand pouvoir réside dans les pensées que tu entretiens présentement. Ce sont ces pensées du moment présent qui vont créer la prochaine minute, la semaine prochaine et l'année qui vient. Les expériences que tu vis maintenant sont l'effet de causes mentales (de pensées!) que tu as mises en mouvement hier, avant hier, l'an passé, il y a dix ans... Si, en cette présente minute, tu n'as que des pensées de succès, d'abondance, d'amour, de paix intérieure, et que tu parviens à maintenir ces pensées à longueur de journée, tu verras ta vie se métamorphoscr.

Ton subconscient, cette partie de toi-même que tu ne perçois pas, a pour seul rôle de continuer à répéter machinalement, inlassablement ce que tu as mis en lui par tes pensées. Alors, tu peux continuer de penser que tu n'es pas bonne - ou toute autre chose du genre! - et, quand cela fera un nombre suffisant de fois que ton subconscient aura capté cette idée, que tu l'aies exprimée consciemment ou non, il continuera à capter cette idée et l'amènera à se réaliser. Avec les années, si tu n'as pas changé cette pensée, tu auras de moins en moins confiance en toi, tu te sentiras de moins en moins bonne. Tu éprouveras continuellement le besoin qu'on te dise que tu es bonne et, même si on te le dit, tu auras de la difficulté à le croire. Tu croiras que tu es bonne seulement quand tu seras capable de te le dire à toi-même avec foi. En plaçant une nouvelle pensée en toi, en la répétant plusieurs fois par jour, inlassablement, ton subconscient va la capter et il laissera l'autre pensée de côté. **DIEU** merci!, tu n'as pas besoin de déprogrammer complètement ton subconscient. Tu n'as qu'à lui soumettre un nouveau programme, de nouvelles pensées. Il agit toujours sur les pensées les plus récentes qu'il reçoit.

Ton subconscient travaille sans jamais se reposer et le meilleur de son activité se produit la nuit, quand tu dors. Il est très important de lui donner de bonnes pensées en tout temps, mais surtout juste avant de te mettre au lit, le soir.

QUI ES-TU?

C'est un très bon moment pour penser à des choses extraordinaires, pour voir les images mentales ("visualiser") qui s'accordent avec ces pensées. Ton subconscient travaillera sur elles pendant toute la nuit. Dans le prochain chapitre, je t'expliquerai la place du sentiment dans l'imagerie mentale et comment il vient accélérer la matérialisation de la pensée. Alors mets-toi dès maintenant à l'oeuvre, même s'il peut y avoir en toi des doutes face à ce pouvoir de la pensée bien dirigée. Tu n'as rien à perdre et tu as sûrement payé assez cher les effets des pensées négatives que tu as entretenues par le passé. Dans la vie, **quand il n'y a rien à perdre et tout à gagner, on ne doit jamais hésiter un seul instant pour commencer quelque chose de différent**. Et surtout, c'est toi qui seras gagnante.

Que penses-tu de toi-même, en général? Te crois-tu supérieure ou inférieure aux autres? Souviens-toi que chaque fois que tu te compares, tu n'es pas en contact avec ton **DIEU** intérieur et que chaque humain est l'expression de **DIEU**. C'est un peu comme si tu comparais deux roses. Que l'une soit plus ouverte que l'autre n'indique pas que l'autre est moins "rose" pour autant! Toutes les deux sont de belles roses. Elles sont simplement à une étape de croissance différente, elles sont tout aussi parfaites. C'est la même chose pour les humains. Quand tu es en contact avec ton côté divin, avec ton **DIEU** intérieur, tu cesses de te comparer.

Supposons que tu te sentes inférieure parce que tu n'as pas autant de diplômes, autant de titres, autant d'argent que quelqu'un d'autre. A ce moment-là, tu te valorises à travers des biens matériels alors que ta vraie valeur est spirituelle, qu'elle se situe au niveau du coeur, c'est-à-dire qu'elle doit être évaluée selon ta capacité d'aimer sans attentes. Il y a tant d'actes d'amour que tu peux faire en une journée! Que d'amour tu peux donner autour de toi! Tu n'as pas besoin pour cela d'avoir accumulé de grandes richesses matérielles. Bien sûr, la richesse matérielle a son importance, mais elle ne t'est bénéfique que dans la mesure où elle te met en contact avec ton **DIEU** intérieur tout en rendant joyeusement service à tes semblables.

Chaque pensée que tu émets produit une forme dans le monde invisible. C'est cette forme-pensée qu'on appelle élémental. Cet élémental est nourri par la répétition de la même pensée, qu'elle soit consciente ou non. Chaque fois que tu répètes la même pensée, l'élémental grandit. Comme nous avons des milliers de pensées chaque jour, nous avons des milliers de formes-pensées qui nous environnent. Les formes-pensées qui ne sont pas nourries ne subsistent pas, elles meurent presque instantanément. Par contre, un élémental, qui devient très puissant à force d'être alimenté par tes pensées, finira par t'envahir, par prendre de ton énergie. Il deviendra une obsession. Il t'incitera à avoir d'autres pensées identiques, car il a sans cesse besoin de nourriture pour subsister. Et il amènera dans ton entourage des éléments semblables à ce qui le constitue, toujours en vue de continuer à s'alimenter.Si ta forme-pensée s'appelle "Je ne suis pas aimée, je ne mérite pas d'être aimée", chaque fois qu'il se produira un incident dans tes contacts avec les autres, tu te diras: "Ça y est! De nouveau, je n'ai pas dû dire ou faire la bonne chose! On ne m'aimera pas à cause de ça!", tu viens d'alimenter ta forme-pensée. A mesure que cet élémental grandit et t'envahit, tu en viens à ne plus rien trouver de bon en toi-même. Tu te dévalorises continuellement et tu t'attires de plus en plus de situations qui te donnent raison. On te rejette de plus en plus! Et ta peur du rejet va t'amener à éliminer des gens de ta vie et à te dire alors: "Je savais que ça ne marcherait pas avec cette personne-là!" Ceci te donnera raison de croire que tu n'es pas aimée, de croire que tu ne vaux pas "le plaisir" d'être aimée.

Alors, pour détruire cette forme-pensée-là qui t'envahit sans cesse, qui gruge ton énergie, deviens de plus en plus consciente que tu dois créer une forme-pensée contraire: celle de la personne aimée, estimée, admirée. Chaque fois que tu as l'impression de ne pas être aimée ou acceptée, chasse cette pensée-là sur-le-champ. Vois plutôt que ce n'est pas ton être réel qu'on rejette: cela peut être seulement ta façon de parler ou d'agir. Vois aussi dans les paroles que tu viens d'entendre qu'il n'y a que de l'amour venant de gens qui veulent t'aider. Ainsi faisant, tu reçois de l'amour plutôt que de la critique: ta pensée change, tu te sens aimée, ce qui alimente le nouvel élémental d'une personne aimée. Quand cet élémental aura dépassé la taille de l'autre que tu avais nourri précédemment, tu auras remporté une grande victoire. Il te deviendra de plus en plus facile de vivre avec cette nouvelle pensée d'être une personne aimée.

Comme tu dois commencer à le constater, tu as été équipée de merveilleux pouvoirs qui te permettent de te créer une vie magnifique! Il ne te reste qu'à les utiliser... Quant au pouvoir de la pensée, il est immense! Ne l'oublie plus jamais!

Voici maintenant la pensée qui conclut ce chapitre. Concentre-toi chaque jour sur elle pendant la prochaine semaine:

“ LA VIE BELLE ET UTILE
EST CELLE
OÙ L’ACTION ET LA PENSÉE
SE SOUTIENNENT INCESSAMMENT
L’UNE PAR L’AUTRE.”

Socrate.

CHAPITRE 6
TU ES CE QUE TU RESSENS.

Jusqu'à présent, j'ai parlé de ce que tu vois, de ce que tu entends, de ce que tu dis et de ce que tu penses. Tu as pris conscience des pouvoirs que tu as et qui sont liés à ces différentes activités. Il y a encore un autre pouvoir qui est aussi très grand. C'est celui du sentiment qui, par son degré d'intensité, agira sur toute manifestation de ton expérience de vie.

Dans le chapitre précédent, j'ai expliqué ce qu'était un élémental. Pour que l'élémental, la forme-pensée se réalise concrètement, le sentiment qui l'accompagne fera toute la différence. Supposons, par exemple, que tu songes à faire un voyage en Europe, l'an prochain. Même si tu y penses beaucoup, que tu fais des affirmations et de l'imagerie mentale, il ne se produira pas à moins que tu n'aies vraiment le sentiment de le voir s'accomplir. S'il y a un peu de sentiment qui accompagne ce à quoi tu penses ou ce que tu imagines, ton désir se réalisera un peu plus rapidement. Plus tu y mettras d'énergie, plus il se réalisera promptement. Tu sais, l'énergie du désir provient du plexus solaire et cette énergie est très puissante. Quand tu visualises une chose, que tu y penses, tu dois la ressentir comme si elle était très réelle, comme si tu pouvais pratiquement la savourer, la vivre intensément dans chaque pore de ta peau. Voilà la clé de la manifestation de tes désirs. Pourquoi crois-tu que les peurs ont un impact aussi puissant chez la plupart des individus? Quand quelqu'un a peur, même si l'objet de sa peur est irréel, il vit et ressent profondément cette expérience. Imagine que tu as peur de te faire attaquer, le soir, en marchant dans l'obscurité. Au moindre petit bruit, tu crois que c'est ton agresseur qui s'apprête à te tomber dessus, et tu éprouves l'angoisse de cette agression comme si elle était réellement en train de se produire. Ne t'étonne pas si un jour, à force d'avoir entretenu cette peur, il t'arrive vraiment de te faire attaquer! La peur est une émotion extrêmement forte et c'est pourquoi elle est si dévastatrice.

Comme je le mentionnais plus haut, l'énergie du sentiment part du plexus solaire. Mais cette énergie va aussi plus haut, dans la région du coeur. C'est le cas, notamment, quand ce que tu ressens est en conformité avec les lois de l'amour. C'est alors que tu te sens le coeur rempli d'un sentiment très agréable, très réconfortant, très énergisant. Si, par contre, ce que tu ressens va le moindrement à l'encontre des lois de l'amour, l'énergie se bloquera plus bas dans ton corps, dans la région du plexus solaire et te fera vivre des émotions non bénéfiques qui draineront ta vitalité. Si, au lieu de ressentir de l'amour, de la paix, du bonheur, tu te laisses aller aux grosses émotions de peur, de culpabilité, de ressentiment, d'angoisse, de rancune, de frustration, de désappointement, etc., tu perds réellement ton dynamisme, tu te retrouves vidée d'énergie. Maintenant que tu réalises le grand impact de ce que tu ressens, hâte-toi de devenir plus consciente de toutes tes émotions, de tous tes sentiments. Ne choisis d'entretenir que ceux qui sont en accord avec les grandes lois de l'amour et de l'harmonie. C'est ainsi que tu parviendras à te créer une vie à ta mesure, cette vie que tu désires vivre depuis toujours. Pas une vie d'émotions et de peurs.

TU ES CE QUE TU RESSENS

Tu as aussi reçu un autre merveilleux don: l'intuition. L'intuition est cette voix intérieure qui prend racine au niveau du coeur et que tu dois écouter. Quand tu entends, vois, dis ou lis quelque chose, vérifie ce qui se passe dans ton coeur. Si tout s'accomplit bien, si tu te sens remplie, tu sais alors que tu es en contact avec quelque chose qui t'est bénéfique. Si tu n'as pas cette impression d'harmonie, arrête-toi, vérifie, pose-toi des questions et détermine si c'est bien ce que tu veux vivre. Grâce à cette faculté de ressentir ce qui se passe dans ton coeur, tu es en mesure de développer un grand discernement qui guidera toujours ta vie dans la bonne direction.

Quand tu es dans ton coeur, ce que tu ressens pour toi-même et pour les autres dégage tellement d'énergie que c'est comme un aimant qui attire à toi personnes, circonstances et choses, exactement comme tu les as ressenties.

Cette compréhension permet d'expliquer pourquoi tu n'obtiens pas toujours ce que tu désires, ce pour quoi tu pries. En effet, tu ne reçois jamais que ce que tu t'attends à recevoir. Et ce que tu t'attends à recevoir se situe dans ce que tu ressens et non ce que tu penses ou dis. Si tu sens que tu ne mérites pas quelque chose, si tu te sens coupable de le recevoir, tu ne l'auras pas! Si tu te sens inférieure, on te traitera en inférieure.

Nous utilisons souvent mal cette énergie du sentiment et une des pires façons de le faire, c'est de **se sentir coupable.** Pratiquement n'importe qui sur terre pourrait écrire un livre sur l'art de se sentir coupable sans l'être réellement. Les humains sont des spécialistes de la culpabilité au sujet de tout ou de rien. On se sent coupable sans vérifier si c'est vraiment le cas. On est véritablement coupable quand on fait, dit, pense ou ressent quelque chose en vue de faire consciemment du mal à quelqu'un d'autre ou à soi-même. Ainsi donc, chaque fois que tu te sens coupable à n'importe quel sujet, **vérifie si ton intention était de nuire consciemment**.

Notre société a été échafaudée sur la culpabilité. Pendant notre tendre enfance, on nous a raconté l'histoire d'Adam et Eve et du péché originel. Nous avons appris que nous avions été créés dans le péché, que la vie était faite pour souffrir, pour expier et pour nous repentir sans relâche. Si nous n'avons pas de raison valable pour nous sentir coupables, nous sommes très habiles à nous en trouver rapidement. Par exemple, si une personne qui nous est chère a l'air morose, on se demande: "Qu'ai-je bien pu faire pour qu'elle ne soit pas heureuse présentement? Que pourrais-je bien faire pour qu'elle se sente mieux?" Que le mari rentre du travail avec une humeur de chien, l'épouse se sent immédiatement coupable. Si l'enfant "tourne mal", comme on dit, voilà les parents qui vivent de la culpabilité à son sujet. Ils croient qu'ils ont fait quelque chose de répréhensible.

Chaque fois qu'on se sent coupable, à tort ou à raison, on ressent le besoin de se punir, on se croit obligé de faire pénitence, on se fait arriver des malheurs, des accidents. Pour mieux connaître l'impact destructeur que le sentiment de culpabilité a sur toi, la prochaine fois qu'il refera surface, tente ceci: rentre en toi, vérifie ce que cela te donne de te sentir aussi coupable, ce que cela fait à ton corps, à ta créativité, à ton énergie, à ton bonheur. Quant à te sentir coupable, sens-le à fond! Lorsque tu auras vécu cette émotion dévastatrice assez longtemps, tu y mettras un terme.

La seule raison valable de se nourrir de sentiments, c'est afin d'éprouver du plaisir, de la joie, du bonheur. Cherche la joie que tu peux bien éprouver dans la culpabilité. Si tu n'en trouves pas, mets-la de côté! S'il t'arrive de te sentir coupable, rentre en toi, va à la source et vérifie si tu l'es vraiment. Tu te rendras compte dans la majorité des cas que tu n'es pas coupable. Il y a beaucoup de gens qui confondent culpabilité et responsabilité. Etre une personne responsable, c'est manifester de l'amour envers soi. La culpabilité, elle, est une forme de haine de soi. La personne responsable regarde tout ce qui se produit dans sa vie afin de s'en servir pour se connaître davantage. Elle prend la responsabilité de tout ce qui lui arrive et se demande en toute occasion: "Qu'ai-je à apprendre de cet incident, comment puis-je m'améliorer grâce à cela?" Pour sa part, la personne qui se sent coupable utilise tout ce qui se produit autour d'elle pour se faire du mal. Elle sent qu'elle a fait quelque chose de mal alors qu'en réalité, il n'y a pas d'erreur, il n'y a que des expériences. Il est vraiment très très rare qu'on soit réellement coupable. Sont-ils si nombreux les êtres qui font consciemment quelque chose pour se faire du mal à eux-mêmes ou pour en faire à d'autres?

On entend des gens dire: "Si je pouvais donc ne pas me sentir coupable! Je n'irais pas travailler demain!" Si tu ne vas travailler que pour ne pas te sentir coupable, alors laisse ce travail-là! Tu es en train de te tuer, de te détruire à petit feu. Il n'est écrit nulle part que tu aies à te détruire pour quelque motif que ce soit. Tu as le droit et le devoir d'être heureuse pour toi-même en travaillant à ton évolution, ici, sur la terre.

Si tu éprouves le besoin de retrouver la joie de vivre quand ton existence ne va pas selon tes désirs, utilise la merveilleuse technique du Dr. Carl Simonton, spécialiste américain de la guérison du cancer. Fais une liste d'au moins quarante choses que tu aimes faire. Aucune de ces choses ne doit couter plus de 10$ afin d'éliminer l'excuse suivante: "Je ne peux pas, je n'ai pas d'argent!" Garde cette liste bien en vue, et revois-la lorsqu'un besoin de remontant s'impose.

Voici la pensée sur laquelle je te recommande de concentrer ton attention pendant la semaine qui suivra ton étude de ce sixième chapitre:

***« L'HOMME
NE SERA HEUREUX
ET EN SÉCURITÉ
QUE LORSQUE SON COEUR
RESSENTIRA PLUS VITE
QUE SON MENTAL
NE PENSE. »***

Sri Chinmoy

CHAPITRE 7
TU ES CE QUE TU MANGES.

Si tu n'as jamais entendu dire que ta manière de t'alimenter est très révélatrice, tu seras certainement bien surprise de certaines des notions exposées dans ce chapitre. Comme pour tout ce que ton expérience de vie comporte, l'important est de prendre ce qui te convient présentement, ce qui passe bien. Voilà certainement un excellent moyen d'utiliser ton monde de sentiments d'une manière profitable.

Comment t'alimentes-tu? Prends-tu, comme beaucoup de gens, un ou deux repas de viande par jour? Manges-tu beaucoup de pain, de pâtes, de desserts? Arroses-tu le tout de vin ou de bière? Un cocktail avant le repas, un digestif après? Tout cela en dit très long sur toi.

Voici un exercice profitable que je te suggère de faire, avant même de poursuivre ton étude de ce chapitre: écris tout ce que tu peux te souvenir d'avoir mangé ou bu ces trois derniers jours. Le fait d'écrire nous amène toujours à découvrir ce que nous avons fait sans en avoir été conscientes.

Ta façon d'être de chaque jour influe grandement sur le choix de ta nourriture. Bien des gens pensent le contraire. Ils croient que c'est à cause de leur nourriture s'ils ne se sentent pas bien. Bien sûr, il serait simpliste de dire qu'il n'y a qu'une cause à un problème quand, en réalité, il y en a plusieurs qui forment un ensemble.

Supposons que tu abuses du **sucre**. Et, quand je parle de sucre, je ne parle pas seulement de desserts, mais de tout ce qui devient glucose par la digestion: alcool, pâtes, pain, liqueurs douces, jus, etc. Si, donc, tu fais un abus de ces aliments-là, tu es en train de te dire que tu as présentement besoin de douceur.(Il est intéressant de constater que l'expression "friandises" a pour synonyme "petites douceurs"...) Donc, ton besoin réel de douceur, s'il n'est pas comblé, se trouve compensé par le sucre.

Nous avons, pour la plupart, été programmées de la même manière pendant notre enfance. Quand nos mères nous donnaient de l'attention, c'était avec des sucreries qu'elles le faisaient. Pas avec des carottes ou des épinards! Pour nous consoler, nous occuper, nous récompenser ou pour se débarasser de nous, on nous gavait de friandises. Devenues adultes, nous continuons à reproduire ce mode de fonctionnement. Quand les choses ne vont pas selon nos désirs, que nous ne recevons pas assez de compliments, nous allons chercher des gratifications dans le sucre. Si, par exemple, on ne nous a pas assez dit que nous étions belles, gentilles, formidables, nous nous consolons dans le chocolat ou la tarte au sucre... Ceci m'amène à te dire que si tu recherches constamment des compliments, des louanges et des remerciements, c'est que tu n'es pas très sûre de toi, que tu ne t'aimes pas suffisamment, que tu ne te donnes pas droit à des douceurs ou que tu es trop sévère envers toi-même.

Si tu es une personne qui mange régulièrement du dessert, du pain ou des pâtes alimentaires, ou qui absorbe régulièrement de l'alcool ou des boissons gaseuses, ton corps veut te dire que ton bonheur dépend des autres, que tu as des attentes, même si tu donnes beaucoup. Tu donnes avec un espoir de reconnaissance, d'une parole réconfortante, d'une marque quelconque d'affection, etc. Tu peux croire que tu es une donneuse, mais en réalité tu donnes surtout en vue de recevoir en retour. Essayer d'attirer des choses à soi est d'ailleurs une cause fréquente de surplus de poids!

Quelqu'un qui mange **salé**, qui aime beaucoup les viandes fumées, qui met du sel sur ses frites, ses tomates, ses oeufs, dans sa soupe et un peu partout, est une personne qui veut que tout marche à son goût. Elle est cramponnée à sa façon de penser. Puis, quand les choses ne tournent pas rond, elle est portée à critiquer les autres ou à se critiquer elle-même. Si tu as le goût de saler plus que de raison, regarde ce qui se passe dans ta vie. Peut-être ne t'es-tu jamais rendu compte que tu étais critiqueuse? Grâce à ton alimentation, tu peux devenir consciente de ce fait-là. Ainsi, au lieu de critiquer les autres ou de te critiquer toi-même, apprends, grâce à cette découverte, à t'aimer, à aimer les autres et à voir constamment le beau côté des choses, des événements et des êtres. Tout ce qui se passe dans nos vies peut devenir une continuelle occasion d'apprendre à aimer.

Aimes-tu manger **épicé**? Alors, sans doute que ta vie présente manque un peu de piquant. Ce serait quoi pour toi une vie stimulante? Ta vie est-elle assez mouvementée? Si ce n'est pas le cas, détermine ce que serait pour toi une vie remplie d'entrain, et, vas-y, fais-la arriver! C'est la même chose pour les gens qui ont tendance à prendre beaucoup de **café**. La caféine a pour effet de stimuler. Quel est le stimulant qui manque dans ta vie? As-tu un but, une raison d'être? Voilà un bon stimulant! Au lieu de chercher à te faire stimuler de l'extérieur par la caféine, pourquoi ne pas puiser de l'enthousiasme à l'intérieur de toi? Ce serait certainement beaucoup moins dommageable pour ton corps.

Aimes-tu les mets **acides**, comme, par exemple, ceux qui

contiennent du vinaigre? Alors, demande-toi quelle sorte de pensées acides tu entretiens présentement. Tu te sens aigrie? Contre qui en as-tu? Observe-toi bien et tu feras des découvertes! Il n'en tiendra alors qu'à toi de changer ce qu'il y a de non bénéfique dans ton mode de pensée!

Manges-tu beaucoup de **viande**? Voilà encore un indice révélateur. Tu sais, on doit bien mordre la viande pour parvenir à la déchiqueter... Qui aurais-tu présentement le goût de mettre en morceaux? Savais-tu que le goût de manger gras indique qu'il y a de la colère, de l'agressivité qui sont refoulées en toi? Pourquoi s'en prendre à un morceau de viande au lieu d'exprimer ses émotions? Le corps humain n'a jamais été constitué pour se nourrir de viande. Les animaux ont été placés sur terre pour leur propre évolution, pour aider les humains et agrémenter leur vie. Ils n'ont pas été crées pour qu'on les mange! Par les oeufs, les volailles nous offrent une excellente source de protéines. Au lieu de s'en contenter, les humains mangent la source de protéines elle-même! Par le lait, la vache nous fournit une autre bonne source de protéines. Que fait-on pour l'en remercier? Nous la mangeons...

Quand on va à l'encontre de lois naturelles, il y a un prix à payer. Depuis des siècles, les humains ont tellement mangé de viande que leur foie a dégénéré et a perdu presque totalement son aptitude à transformer les aliments en protéines. Le foie est devenu très paresseux puisqu'il savait que, de toutes façons, il recevrait chaque jour une grande quantité de protéines. Et le fait de manger de la viande tous les jours nous rend agressifs, nous remplit le corps de toxines, nous donne des maladies et nous fait vieillir plus vite. La médecine traditionnelle elle-même révélait, il y a quelques années, que 73% des décès étaient causés par un abus de viande.

Juste avant d'être tués, les animaux sentent ce qui les attend, et ils vivent alors beaucoup de terreur et d'angoisse. Leur peur produit une poussée d'adrénaline qui infecte leur sang et qui remplit la viande. Il ne sert à rien de se le cacher: chaque fois que nous mangeons de la viande, c'est un cadavre que nous dégustons, un cadavre rempli du poison qu'est la peur. De nombreuses recherches ont démontré qu'il est extrêmement difficile pour l'organisme humain de convertir en pensée positive toute cette horreur et cette angoisse que l'animal a injectées dans son sang avant d'être abattu. Si un humain reçoit en transfusion le sang d'un être qui était rempli de peur ou de tout autre état négatif, il ne lui faudra que quelques jours pour transformer ce sang au moyen de son propre univers de pensée. Cependant, vu que le corps humain n'est pas constitué pour se nourrir d'animaux, il est très difficile pour l'humain d'assimiler le sang animal à cause du taux vibratoire plus bas. Ainsi, la personne qui mange beaucoup de viande éprouve plus de difficulté à maîtriser ses émotions et ses peurs que celle qui n'en mange pas.

Tout ce qui précède comporte un message important pour toi. Si tu es une bonne mangeuse de viande, il est impossible que tu ne sois pas quelqu'un qui garde de la rancune, du ressentiment envers quelqu'un d'autre, que tu n'exprimes pas tout ce que tu as vécu depuis ton enfance, que tu gardes tout cela au-dedans de toi. Et cela se manifeste dans ta façon de manger. Tôt ou tard, ton corps aura à souffrir de cela, si ce n'est déjà fait...

Est-ce que tu **avales "tout rond"**? C'est sans doute ce que tu fais aussi dans ta vie: tu ne prends pas le temps de la savourer. Tu ne vis pas pleinement le moment présent. A moins que tu ne sois quelqu'un qui prend une éternité pour avaler sa nourriture? Alors, c'est le signe que tu veux trop rester dans le moment présent par peur de faire face à l'avenir. Ici comme ailleurs, il est bon de rechercher le juste milieu.

Es-tu ce qu'on appelle une "**personne difficile**"? Manges-tu seulement certains mets sans vouloir goûter à quelque chose de nouveau? Tu fais sûrement la même chose dans les autres domaines de ta vie, en te limitant à certaines manières d'être apprises pendant ta jeunesse. Le fait de n'être pas ouverte à de nouvelles expériences de vie te maintient dans une existence monotone, et beaucoup de belles occasions te passent ainsi sous le nez!

As-tu l'habitude de te **disputer** ou de te chicaner **en mangeant**? Profites-tu des repas pour faire des mises au point avec les gens de ton entourage? Si c'est le cas, tu as certainement de la difficulté à digérer, car la digestion ne dépend pas tant de l'aliment lui-même que de notre état d'esprit au moment où nous le consommons. La manière idéale de manger, c'est en silence, en jouissant de chaque bouchée et en remerciant le Créateur pour cette bonne nourriture. Plus tu remercies, plus ta nourriture te vivifie. Rapidement, tu te rendras compte que tu n'as plus besoin de manger autant car tes aliments te nourriront davantage.

Es-tu portée à manger de bons aliments naturels? Tes goûts te font-ils plutôt tendre à consommer des aliments minute ("**junk food**")? Tu peux ainsi voir de quelle façon tu te respectes. Quand tu aimeras chaque cellule de ton corps et que tu prendras conscience que ce corps est l'expression de **DIEU**, tu ne voudras plus lui imposer cette nourriture qu'on appelle "junk food". La meilleure nourriture qui soit pour ton corps est celle qui a été touchée par les rayons du soleil. Tous les fruits et légumes sont très vivifiants. Ceux qui poussent au-dessus du sol t'apportent les vitamines, qui viennent du **Soleil, notre père** et ceux qui poussent dans le sol t'apportent les minéraux qui viennent de la **Terre, notre mère**. Une attention particulière doit être portée au blé qui contient des éléments nutritifs essentiels à la chimie du corps humain. Avec les grains, les noix, les céréales naturelles et les légumineuses, voilà une alimentation complète.

Tout ce qui précède ne veut pas dire que tu doives dès demain t'abstenir de toute viande ou de tout autre aliment auquel tu es habituée présentement. Néanmoins, après t'être conscientisée et avoir décidé d'une direction à prendre, tu peux déjà, dès demain, apporter des correctifs à ta manière de t'alimenter. Tu peux, par exemple, décider de couper la viande rouge et de ne garder que la viande blanche comme le poulet (élevé au grain, de préférence) et le poisson. Graduellement, tu réaliseras que tu as moins besoin de ces protéines animales et tu te dirigeras vers une alimentation naturelle.

Es-tu portée à bourrer de nourriture ton réfrigérateur et tes armoires de cuisine par **crainte d'en manquer**? Si tel est le cas, tu dois souvent manger de ces aliments de peur qu'ils se perdent. Tu te traites donc en poubelle. Et, quand on se traite en poubelle, peut-on s'attendre à être respecté? Il est tellement facile, de nos jours, d'aller chercher à mesure ce dont on a besoin. Il n'est plus nécessaire de remplir armoires et réfrigérateur à pleine capacité! C'est du gaspillage. Tout est énergie. Tout provient de la même énergie divine et cette énergie, nous devons la respecter! Si tu as toujours peur de manquer de nourriture, cela indique un sentiment de carence dans ta vie présente. Que te manque-t-il? De l'amour? Alors, sèmes-en! De l'affection? Eh bien, exprimes-en! Manquestu d'argent? Donnes-en! C'est en donnant que tu ouvres le grand canal d'énergie qui te permettra de recevoir davantage.

Manges-tu parce que c'est l'**heure de manger**? Voilà une autre attitude très révélatrice de ce que tu es. Ce n'est pas toi qui diriges ta vie. C'est l'heure, le "il faut", le "ça ne se fait pas!" ou les gens qui te gouvernent. Tu peux manger par habitude, par appétit, par émotion ou par faim. Si ces notions ne te sont pas familières, je t'invite à consulter mon premier livre où cela a déjà été bien expliqué.

Revenons à la question de l'**alcool** que j'ai effleurée plus tôt. Si tu en consommes beaucoup, c'est par besoin de t'évader ailleurs parce que tu souffres d'un profond manque d'acceptation de toi-même, d'un grand manque d'estime de toi-même. En plus de nuire à ton corps physique, l'alcool porte atteinte à ton corps astral (émotionnel). La personne dont le corps astral est endommagé est sujette à toutes les émotions du bas astral. Ces basses émotions circulent partout dans l'environnement des humains, et bien qu'on ne les voie pas, elle n'en sont pas moins très réelles. Plus la personne se sent imprégnée de peur, d'angoisse, de colère et de toutes les autres basses émotions, plus elle prend d'alcool pour les oublier. Et plus elle consomme de l'alcool, plus elle s'empêtre dans ce monde du bas astral: c'est un cercle vicieux. Si tu es quelqu'un qui boit beaucoup d'alcool, il est important de t'exercer de plus en plus à reprendre contact avec la grandeur de ton âme, avec la présence de **DIEU** en toi. Chaque jour, établis une liste de tout ce qu'il y a de beau en toi. Même si tu n'es pas en contact avec cette beauté, elle est quand même là! Demande aux autres ce qu'ils voient de beau en toi. Porte de plus en plus ton attention sur ta beauté intérieure au lieu de te considérer comme du déchet.

Si tu es le type de personne qui a souvent l'**appétit coupé**, qui n'a jamais faim, qui mange du bout des lèvres, il se peut que tu sentes inconsciemment que tu ne mérites pas de vivre. Que penses-tu de toi-même? Te sens-tu si coupable que tu ne veuilles pas te nourrir? De quoi cherches-tu à te punir? Reprends vite le contact avec ton **DIEU** intérieur. Trouve-toi une raison d'être, un but dans la vie.

En conclusion de ce chapitre, voici la pensée que je t'ai préparée pour les sept jours qui viennent:

***« CERTAINS
TENTENT DE NOYER LEUR ANGOISSE
DANS LA DROGUE,
LES MÉDICAMENTS,
LE SUCRE OU L'ALCOOL.
HÉLAS,
ELLE SAIT NAGER! »***

CHAPITRE 8
TU ES CE QUE TU PORTES.

Savais-tu que ta manière de t'habiller révèle tes dispositions d'esprit d'un jour à l'autre? Tout a une signification, y compris la coupe de tes vêtements et leur couleur.

As-tu plutôt tendance à porter généralement des vêtements très amples? Flottes-tu dans tes pantalons ou tes robes? Se pourrait-il que tu veuilles te cacher quelque part? Que tu ne veuilles pas qu'on connaisse tes formes ou ta personnalité? Que veux-tu cacher de si horrible au moyen de cette ampleur? Ta féminité? Ta sensualité?

A moins que tu ne te situes à l'autre extrémité, au nombre de ceux qui portent des vêtements très serrés? Quelle partie de ton corps comprimes-tu? Si c'est la taille, qui est située dans la région du centre d'énergie des émotions, il est probable que tu tentes d'étouffer certaines émotions. De qui veux-tu te protéger? De quoi veux-tu te défendre?

Si tu te serres le cou hermétiquement avec des cols montants, des foulards, des fichus ou des cravates, c'est qu'il y a quelque chose que tu ne veux pas dévoiler. Tu te souviens, n'est-ce pas, que le cou fait partie du centre d'énergie de l'expression, de la vérité? S'il t'est difficile d'être vraie, de révéler ce qui se passe en toi, sans doute as-tu du mal à exprimer l'amour, à dire ce que tu trouves de beau chez tes semblables, à faire des compliments. Es-tu plus occupée à exprimer des critiques? Ou te refermes-tu complètement? Es-tu plus attentive à dire ce que tu crois que les autres veulent entendre plutôt que ce que tu as vraiment à dire?

Si tu portes des vêtements très serrés des pieds à la tête, mettant ainsi tes formes en évidence, n'es-tu pas en train de vouloir prouver aux autres à quel point tu es sensuelle? Quand on tente de prouver quelque chose, ce n'est certainement pas un signe de grande confiance en soi. C'est plutôt le signe qu'on ne croit pas soi-même ce qu'on veut faire croire aux autres.

Il y a aussi des personnes qui, malgré un excès de poids, portent des vêtements qui font ressortir ce surplus... Si tel est ton cas, qu'essaies-tu de démontrer? Cherches-tu dans les yeux des autres une expression horrifiée se traduisant par un "Mon Dieu, ce qu'elle est grosse!!!", ce qui vient confirmer ce que tu te dis sans cesse? Alors, en te ficelant de cette façon tu te complais à prouver que tu n'es pas belle, que tu n'as pas un beau corps.

D'autres se font des accroires en s'habillant une ou deux tailles au-dessous de la réalité... Elles aiment croire qu'elles ne sont pas si grosses que cela, ne voulant pas regarder la réalité en face et ne voulant pas admettre que leur corps leur parle au moyen de cet excès de poids. Voir la réalité en face peut être en effet très dérangeant car, lorsqu'on fait une prise de conscience contrariante, on est forcée de poser des gestes pour remédier à la situation.

Quelle est ta manière habituelle de t'habiller chaque jour de la semaine? Portes-tu inlassablement les mêmes vêtements, semaine après semaine? Portes-tu de vieilles choses que tu as depuis des années et dont tu n'arrives pas à te défaire? Voilà qui te définit comme une personne très conservatrice, qui accumule, qui s'attache et qui a très peur de se défaire de ses possessions. Tu sais, à ce moment-là, tu ne laisses pas place à la nouveauté. Il est probable que tu te comportes de la même manière dans ta vie émotive et mentale. Tu as du mal à te débarrasser de tes anciennes idées et à en accepter de nouvelles, et tes attachements aux personnes sont empreints de possessivité.

Accumules-tu dans ta garde-robe des vêtements que tu n'as pas portés depuis un, deux ou trois ans au cas où tu en aurais besoin à un moment donné? S'il y a des vêtements que tu n'as pas portés depuis plus d'un an, il y a 99% des chances que tu ne les reportes jamais! Alors, pourquoi encombrer tes placards? Pourquoi t'embarrasser d'une accumulation d'objets inutiles? Donne ces vêtements, ou brûle-les! Fais bouger l'énergie si tu veux te faire arriver d'autres vêtements!

Garderais-tu, par hasard, ta belle robe de chambre pour le cas où tu irais à l'hôpital un jour? A moins que ce ne soit pour un voyage? Réserves-tu tes beaux vêtements préférés pour des occasions spéciales? Sais-tu que cette attitude se retrouve chez des personnes qui ne croient pas qu'elles méritent ces belles choses? Si tu fais cela pour quelques morceaux, c'est compréhensible. Mais peut-être est-ce chez toi une attitude généralisée? Tente l'expérience de porter tes belles tenues vestimentaires en plein coeur de la semaine, pour n'importe quelle occasion. Nous vivons une époque excellente sur ce plan-là: tout se porte, tout est permis, tout est admis, du long au court, du terne au brillant, de jour ou de soir, en semaine ou en fin de semaine. L'habitude d'avoir des vêtements de semaine et des vêtements "du dimanche" nous vient de nos grands-parents. Ne serait-il pas temps d'évoluer et de vivre enfin à notre époque?

Quand tu es chez-toi et que tu ne portes que de vieux vêtements tout délavés, usés à la corde ou tachés de peinture, te sens-tu importante ce jour-là? Si quelqu'un arrive à l'improviste et te surprend dans cette tenue, te sens-tu mal à l'aise? Cours-tu te changer? Si non, désirerais-tu être habillée différemment? Alors, pourquoi gardes-tu ces vieilles choses? Que tu fasses du ménage, que tu ailles magasiner ou travailler, ce qui compte c'est que tu aimes l'image que tu vois quand tu te regardes dans un miroir. Si tu trouves piètre l'image que le miroir te renvoie, cours te changer! Le fait de porter un vêtement agréable fera tout de suite une différence dans ta façon de te sentir. Par contre, si tu possèdes un vieux vêtement dans lequel tu te sens particulièrement bien et que quelqu'un se présente chez toi sans que cela te dérange, c'est différent. Comme je le mentionnais ci-dessus, l'important est d'aimer l'image que le miroir te renvoie et de te trouver belle en tout temps.

Es-tu attentive, en faisant tes achats, à acheter des tissus en fibres naturelles? Es-tu plutôt attirée par tout ce qui est synthétique? Plus tu vas apprendre à aimer ton corps, plus tu seras portée à l'habiller avec des fibres naturelles. Celles-ci permettent au corps de respirer beaucoup mieux. Les vêtements qu'il est déconseillé de porter sont ceux qui ont été confectionnés à partir de peaux ou de fourrures d'animaux. La raison à cela? C'est que, quand on porte un manteau de cuir ou de fourrure, on s'enveloppe des vibrations de peur qui restent encore collées à la peau d'un animal mort de manière violente. Je ne parle pas ici des petits morceaux qui servent à fabriquer des souliers, une ceinture, une décoration quelconque, un sac à main ou un col. Le nombre de vibrations négatives qui se dégagent d'une petite quantité de cuir ou de fourrure ne fait pas une grande différence. C'est au vêtement entier qu'il faut faire attention. On dit qu'il y aura toujours un climat de violence, de mort et de destruction autour de l'homme tant et aussi longtemps qu'il tuera des animaux pour s'en nourrir ou pour se vêtir de leurs peaux, seulement par goût du luxe et non par nécessité.

Les couleurs que nous choisissons de porter chaque jour expriment soit notre état d'esprit du moment, soit les vibrations dont nous manquons. En effet, chaque couleur a son propre taux vibratoire, et un son bien défini est relié à chacune d'elles. Quand nous faisons un mélange de couleurs, il se produit une combinaison de sons, une musique qui affecte le corps de façon aussi subtile que réelle. Il est donc très bénéfique, le matin, avant de choisir quoi que ce soit dans ton placard, de prendre quelques instants pour te demander de quelle couleur tu as besoin. Regarde toutes les couleurs, l'une après l'autre, et, soudainement, tu vas te sentir attirée par une couleur en particulier. C'est celle-là qui te conviendra tout spécialement pour ce jour-là. Voilà un moyen de plus pour t'aider à bien passer ta journée!

On retrouve chez les libraires plusieurs bons livres qui peuvent te renseigner sur l'influence et la signification de chacune des couleurs. On y apprend, par exemple, que le rouge est une couleur très vive, qui exprime l'amour de la vie dans son aspect physique. Si tu te lèves un beau matin et que tu as le goût de porter du rouge, il se peut que tu manques de vigueur, d'enthousiasme, et que tu choisisses de porter du rouge pour compenser. Cela peut aussi indiquer un état d'esprit plutôt agressif. Le bleu, pour sa part, est une couleur qui apaise et guérit. Tu peux avoir besoin de cette couleur-là pour t'apaiser un jour où, par exemple, il fait sombre et que le ciel est gris. Tu peux aussi être très paisible ce jour-là et vouloir t'habiller de bleu. Ton état d'esprit de même que la couleur de ton vêtement vont concourir à t'aider et à aider les autres.

Portes-tu des vêtements qui te vieillissent ou bien des

vêtements qui te font paraître jeune? Encore une fois, cela est très significatif. Si tu as cinquante ans et que tu t'habilles de mini-jupes comme une adolescente, il y a certainement une non-acceptation de toi-même et de ton âge qui s'exprime dans cette manière de te vêtir. Si, à l'autre extrême, tu t'habilles de façon conservatrice avec des vêtements de style "très madame" alors que tu es jeune, cela suggère que tu ne veux pas vivre le moment présent, que tu n'acceptes pas ta jeunesse et que tu veux vieillir trop vite.

(Je rappelle que tout ce qui est dit dans ce chapitre autant que dans les autres, s'applique aux hommes comme aux femmes.)

Si tu es une personne dont le style vestimentaire rappelle le siècle dernier, il est possible que tu n'aies pas accepté d'être venue au monde à notre époque et qu'inconsciemment tu voudrais continuer à vivre ta vie antérieure. Il est important de prendre conscience du lieu et de l'époque où nous vivons et de s'y adapter, plutôt que de chercher constamment à retourner vivre dans le passé.

D'un autre côté, tu es peut-être une personne marginale qui s'habille de façon anti-conventionnelle et qui ne peut pas s'empêcher d'attirer l'attention partout où elle va. Désires-tu vraiment t'habiller de cette façon? Ne serais-tu pas en réaction contre des parents sévères et trop conservateurs? Sois sûre que le choix de tes vêtements provient véritablement d'une décision personnelle et non d'un désir plus ou moins conscient d'impressionner ou de choquer, provenant d'une réaction à quelqu'un d'autre.

Si tes habitudes vestimentaires sont influencées par ce que ton conjoint, tes parents ou tes amis aiment ou veulent te voir porter, cela démontre que tu ne crois pas pouvoir mener toi-même ta vie dans sa dimension émotionnelle et mentale.

Tu te laisses facilement influencer par les autres et tu n'écoutes pas tes vrais besoins.

Ne crois-tu pas qu'il serait grand temps de faire le tour de tes placards? De mettre en action la loi du vide, si tu as accumulé beaucoup de choses inutiles au cours des années? Observe bien attentivement ton comportement vestimentaire à partir des observations mentionnées ci-dessus. Il serait étonnant que tu ne fasses pas quelques découvertes d'un grand intérêt.

En conclusion de ce chapitre, je te soumets la pensée sur laquelle méditer:

LE PLUS GRAND MENSONGE
SUR LA PLANÈTE:
« QUAND J'AURAI
CE QUE JE VEUX,
JE SERAI HEUREUSE. »

CHAPITRE 9
TU ES... TA DEMEURE.

Il te semblera sans doute étrange de lire que ta demeure t'offre un autre moyen de te connaître davantage. Pourtant, tu dois déjà commencer à intégrer l'idée que tout a une signification, puisque tu t'es rendue jusqu'ici dans ta lecture... Il est si intéressant d'ouvrir un regard nouveau sur la vie, de devenir plus consciente, d'apprendre toutes ces notions afin de se connaître davantage. Cela ne veut pas dire qu'il faille continuellement se poser des questions au point d'en devenir obsédée! Il s'agit simplement d'être éveillée, de garder les oreilles et les yeux ouverts, de s'intéresser à tout. Tout à coup, c'est l'illumination. Tu te dis: "Ah ha! Voilà que je viens d'apprendre un nouvel aspect de moi-même!" Et tu décides si tu vas t'en servir ou non. Tu peux développer l'habitude de ce petit monologue intérieur: "Est-ce que je l'aime, ce nouvel aspect de moi-même? Est-ce qu'il me satisfait? Me rend-il heureuse?" A mesure que nous nous conscientisons, nous pouvons aussi transformer les aspects que nous trouvons indésirables parce qu'ils nous coûtent cher, nous apportant plus d'inconvénients que d'avantages.

Ta maison ou le lieu où tu demeures représente ton être intérieur. Comment est ton chez-toi? Y a-t-il plusieurs étages? Les étages représentent les différents niveaux qu'on retrouve à l'intérieur de l'âme. Le sous-sol représente les instincts, ou bien l'inconscient et le passé. Le rez-de-chaussée correspond à la conscience de veille ou au présent. Plus on monte, plus on va vers l'être, la dimension spirituelle et le futur.

Demeures-tu dans un sous-sol présentement? Te tiens-tu souvent au sous-sol de ta maison? Bien sûr, la signification de cela peut varier d'un individu à l'autre. Peut-être éprouves-tu le besoin de te laisser aller à tes plaisirs, à tes besoins d'ordre matériel? Si tel est le cas, cela peut venir du fait que tu ne l'as jamais fait auparavant. Peut-être ne t'es-tu jamais laissé aller à explorer tes instincts? C'est toi seule qui peux décider si le fait de trop écouter les instincts de base, les instincts de satisfaction des sens, t'apporte plus d'avantages que d'inconvénients. Il ne faut jamais oublier que pour en venir à maîtriser les instincts, nous devons commencer par apprendre à les vivre. Ton attrait pour le sous-sol peut aussi signifier qu'actuellement, tu éprouves le besoin de fouiller dans ton subconscient pour découvrir d'autres aspects de ta personnalité. Ça peut aussi te dire que tu vis trop dans le passé, que ton passé a beaucoup d'emprise sur ta vie présente.

Par contre, si tu demeures très haut dans un édifice, c'est qu'il y a quelque chose au-dedans de toi qui est attiré par la spiritualité, par l'être. Ce n'est plus seulement l'aspect matériel de la vie qui est important pour toi. Ecoutes-tu cette attirance ou lui résistes-tu? Si tu demeures très haut dans la nature, tu es en contact encore plus étroit avec le côté spirituel de ton être. Il est beaucoup plus facile d'établir un contact conscient avec **DIEU** au coeur des beautés de la nature qu'au milieu du vacarme d'une ville polluée!

Comment sont les plafonds de ta maison? Sont-ils bas, hauts? Plus le plafond est haut, plus tu as d'espace et de liberté pour aller plus loin dans ta vie. Y a-t-il beaucoup d'escaliers chez toi? Comme tu sais, on utilise un escalier pour monter ou pour descendre. Les escaliers de ta maison symbolisent le passage du subconscient au conscient, du conscient au subconscient. Si tu montes et descends sans cesse les escaliers de ta demeure, c'est que, dans ta vie présente, tu te promènes d'un état de conscience à un autre. Si tu demeures toujours au même étage, il est possible que tu traverses une période de ta vie où la stabilité prédomine.

Ta demeure est-elle spacieuse? Si oui, c'est que tu veux respirer à l'aise dans ton monde intérieur en te donnant de l'espace. Si, au contraire, tout est tout petit chez-toi et que tu t'y sens à l'étroit, c'est que tu ne te donnes pas tout l'espace dont tu as besoin pour grandir et respirer à l'aise.

Aimes-tu t'entourer de beauté? Ce sur quoi tu poses les yeux est-il rempli d'harmonie? Aimes-tu tes meubles, tes accessoires électriques, tes tentures, la couleur des murs? Est-ce que ton intérieur est décoré de façon à te remplir de bonheur? Y a-t-il plutôt des pièces que tu souhaiterais transformer de fond en comble? Si oui, c'est aussi ce qui se passe dans ta vie intérieure. Que fais-tu de tout cela? Te plains-tu que ce n'est pas de ton goût, sans jamais rien faire, ou te mets-tu à l'oeuvre pour transformer ce qui te déplaît?

Est-ce que ta maison ou ton appartement est encombré de meubles, de bibelots, de souvenirs que tu accumules depuis des années? Si tel est le cas, il y a de très fortes chances pour que ce soit encombré au-dedans de toi aussi. As-tu du mal à laisser aller tes principes, tes habitudes, tes vieilles idées? Peut-être que tu souhaites avoir de nouvelles choses, mais tu ne réalises pas qu'il importe de te défaire de ces vieilleries pour faire de la place au nouveau! Continue à accumuler et un moment viendra où il n'y aura plus de place! Te rends-tu compte de tout le travail, de l'énergie employée à épousseter, nettoyer et entretenir tout cela? De l'argent qu'il t'en coûte pour les réparations, les assurances? Cette énergie pourrait servir à quelque chose de bien plus profitable! Sois consciente que l'encombrement matériel a comme contrepartie l'encombrement mental. Celui-ci est à l'origine des problèmes de mémoire. Combien de personnes vieillissantes ont la mémoire à court terme défaillante? Elles se souviennent facilement d'un fait datant d'il y a plus de vingt ans mais ne se souviennent pas de t'avoir dit quelque chose il y a une demie-heure et se répètent sans cesse.

Ton logis est-il bien éclairé par de grandes fenêtres? Ce que tu vois à l'extérieur est-il beau, calme et reposant? Les fenêtres représentent ton ouverture sur les choses et les êtres, et ta façon de voir ce qui t'entoure.

La propreté est-elle importante chez-toi? Si on bougeait les meubles, trouverait-on une accumulation de poussière? Tes garde-robes, tes tiroirs sont-ils propres? Si tu as laissé s'accumuler de la poussière, cela signifie qu'il y a probablement de la poussière aussi dans ton esprit. Cette poussière provient de la dimension mentale, d'un intellect qui tente de tout comprendre, de tout raisonner, de tout analyser. C'est la voie royale qui mène à l'orgueil! La personne orgueilleuse veut toujours avoir raison, elle tente d'imposer ses idées, et cette attitude crée de la poussière, de grands malaises à l'intérieur d'elle-même et dans ses rapports avec les autres.

Y a-t'il de l'ordre chez-toi? La propreté et l'ordre sont deux choses différentes, tu sais. Tout peut être très propre, et malgré cela tes meubles peuvent être encombrés d'objets qui ne sont pas à leur place. Alors, c'est probablement la même chose en toi. Tu peux avoir de la difficulté à prendre des décisions, à savoir exactement ce que tu veux faire de ta vie. Il se peut aussi que tu sois quelqu'un qui remet souvent au lendemain ce que tu as l'intention de faire. L'intention peut être là, mais tu peux éprouver de la difficulté à passer à l'action. Il y a beaucoup de temps et d'énergie perdus quand on cherche constamment à cause d'un désordre. C'est ainsi quand on veut se décider à passer à l'action. On perd son temps à aller d'un bord à l'autre plutôt qu'à la bonne place.

La cuisine représente le lieu de la domination féminine. Souviens-toi de ce que je disais précédemment du principe féminin. C'est l'aspect nourricier et créatif de l'être humain, peu importe son sexe. C'est la faculté d'exprimer la tendresse, la douceur. C'est l'ouverture à l'intuition et à l'aspect psychique de l'être. C'est donc le principe féminin qui est plus en contact avec les vrais besoins. Est-ce que ta cuisine est à l'ordre? Est-elle spacieuse, fonctionnelle, plaisante? Ta cuisine démontre bien ce qui se passe en toi lorsque tu es en contact avec ton principe féminin.

Passons maintenant à ta chambre à coucher. Est-ce la pièce la plus confortable chez-toi? T'y sens-tu bien? Est-elle à ton goût? Ta chambre représente l'aspect intime de ton être. Si tu désires connaître ce côté intime, décris ta chambre comme tu le ferais pour quelqu'un qui ne l'a jamais vue. Sois bien attentive aux termes utilisés dans ta description: ils te révéleront le climat de ta vie intime.

Prends-tu soin, chez-toi, de ce qui est apparent beaucoup plus que de ce qui ne se voit pas? Soignes-tu davantage l'aspect intérieur ou l'aspect extérieur de ta maison? Quand on entre chez-toi, est-ce que la première impression est excellente? Cette impression se modifie-t-elle quand on va davantage dans les détails? Si tel est le cas, c'est que ta personnalité l'emporte sur ton individualité.

La personnalité d'un être est ce qui se voit de l'extérieur, ce que les gens perçoivent de prime abord. L'individualité ne se révèle généralement que lorsqu'on commence à connaître la personne de manière plus intime. Pour devenir maîtres de nos vies, nous devons tous prendre contact avec notre individualité. La personnalité est façonnée par les parents, la famille, l'éducation et les influences subies au cours de l'enfance. Nous avons développé tel type de comportement, telle personnalité en vue de plaire. La plupart des humains pensent, parlent et agissent en conformité à ce qu'ils croient que les autres attendent d'eux. Ils le font par besoin d'être aimés, par peur du rejet. Quand tu découvriras tes vrais besoins, que tu seras davantage en contact avec ton monde intérieur et avec ce qui t'est bénéfique, tu prendras contact avec ton individualité. Tu découvriras qui tu es vraiment. Tu vas sans doute garder certains aspects de ta personnalité présente mais tu en transformeras certains autres. Plus tu prendras conscience de ton individualité, plus tu développeras tes talents, plus tout deviendra clair en toi. Et l'intérieur de ta maison reflètera cette clarté.

Serais-tu le genre de personne qui fait à l'occasion un grand ménage mais qui laisse entre-temps aller les choses? Si oui, cela dénote un manque de persévérance dans la discipline. Beaucoup de personnes font des efforts périodiques pour se prendre en main. Elles font un beau travail d'harmonisation intérieure et vivent un moment sur cette lancée. Tout est harmonieux pendant un temps et elles sont fières d'elles-mêmes. Elles se laissent porter ainsi jusqu'à ce qu'elles ne s'y retrouvent plus et que le découragement se manifeste. Elles recommencent alors le grand ménage. Il est bien plus facile de garder l'ordre en soi par une attention quotidienne, par la discipline au jour le jour. Pour arriver à évoluer, pour apprendre à s'aimer et à aimer les autres véritablement, on doit se donner une discipline, car il n'y a pas d'amour sans discipline.

Il est important de faire la distinction entre discipline et rigidité. Tu te disciplines quand tu découvres que le fait d'accomplir quelque chose te procure plus de plaisir que de désagréments et que tu choisis de poser ce geste de façon régulière. Tu le fais parce que tu te sens bien de l'avoir fait, et il est naturel à l'humain d'aimer ce qui lui apporte du plaisir. Prenons un exemple. Tu sais que tu te sens mieux quand tu te brosses les dents le matin que quand tu t'en abstiens. Dans ce dernier cas, quelque chose ne va pas pour le reste de la journée: tu sens que ta bouche est empâtée. C'est pourquoi tu te disciplines à te brosser les dents chaque matin puisque la sensation de bien-être que tu te procures ainsi compense largement le temps que tu y consacres. Il en va de même pour une foule d'autres activités quotidiennes. Quand tu découvres qu'une activité t'apporte du bonheur, pourquoi ne pas choisir d'en faire une bonne habitude?

Etre rigide, par contre, consiste à agir de manière inflexible. C'est s'obliger à accomplir des choses dont on n'a pas le goût, en raison d'une décision prise antérieurement. Voici un exemple. Suppose qu'une personne programme tout son emploi du temps à l'avance. Elle décide de faire ceci ou cela tel ou tel soir, de remplir sa déclaration d'impôt samedi, etc. Elle s'est imposé une série de tâches à l'avance. Quand vient le moment de les exécuter, elle s'y oblige même si elle n'en a pas du tout envie. La personne rigide ne se donne pas le droit de prendre quelques instants pour revoir sa décision, pour se demander: "Si je ne le fais pas maintenant, quel sera le prix à payer? N'y aurait-il pas un autre moment où je pourrais le faire sans qu'il y ait de pots cassés? " Ce qui importe, c'est de se donner le droit de réévaluer une décision, quitte à la remplacer par une autre.

En conclusion, j'attirerai de nouveau ton attention sur le fait que **rien n'a été laissé au hasard dans ta vie**. Tout est là pour t'amener à te connaître. C'est toi qui décides de te servir de ces moyens ou non. Et cela peut se faire sans nécessairement devenir des maniaques ou des fanatiques du questionnement!

Si tu prends le temps de bien regarder ta demeure dans tous ses aspects, et de faire le lien entre ce que tu observes et ton état intérieur, tu recevras d'excellents messages. Par la suite tu peux décider de changer ou de transformer les choses qui ne font pas ton affaire.

Tu peux aussi opter pour le statu quo si tu te sens bien là-dedans. Ce qui importe, c'est d'accepter que tu en es là dans ton mode de fonctionnement et que tu n'as de comptes à rendre à personne d'autre qu'à toi-même. Puisses-tu trouver du plaisir et de la joie dans ta manière d'être!

Voici la pensée sur laquelle je t'invite à te concentrer pendant la semaine qui suivra ta lecture de ce chapitre.

***« J'OUVRE LES FENÊTRES
DE MON ÂME
ET JE PERÇOIS DIEU
DANS TOUTE SA SPLENDEUR. »***

CHAPITRE 10
TU ES LA FORME DE TON CORPS

Grâce à ce chapitre, tu pourras te familiariser avec la signification du corps humain en observant sa forme. Cette étude de la forme, de la structure des êtres vivants, fait l'objet d'une science appelée **morphologie**. Ce mot vient de deux termes grecs: "morphê", qui veut dire "forme" et "logos", qui signifie "science". Cette science permet d'établir une correspondance entre les caractéristiques physiques et psychologiques d'un individu.

Mais d'où vient cette science? De tout temps, l'homme a cherché des correspondances entre les formes du corps humain et le caractère. Cette recherche est devenue de plus en plus complexe après le Moyen-Age avec les écrits de De Lescaut, qui datent de 1540, et ceux de Coclès, qui avait publié des livres sur la morphologie dès 1523. L'intérêt pour cette science a été constant par la suite.

Les indications que l'on recueille sur le caractère humain en rapport avec la forme des différentes parties du corps prises séparément ne peuvent être acceptées comme véritables à 100%. Elles doivent toujours être regardées, étudiées avec l'ensemble du corps. Nous devons observer les différentes parties du corps d'une personne et faire une sorte de synthèse de l'ensemble plutôt que de décider de son caractère en se fondant seulement sur la forme de son nez ou la longueur de ses pieds. Si tu prends plaisir à étudier les gens à partir de la forme de leur corps ou de leur visage, je te conseille de demeurer neutre en accueillant ce que tu observes. Intéresse-toi à l'ensemble de l'aspect d'un individu et, bientôt, une image de sa personnalité se formera en toi.

Les formes physiques sont le résultat de ce qui se passe dans le for intérieur d'une personne, tout comme ces formes peuvent aussi avoir une influence sur le caractère de cette personne. C'est vrai dans les deux sens. Par exemple, une personne qui se sent heureuse aura un visage rempli de bonheur alors qu'une autre, qui est toujours triste, finira par avoir beaucoup de rides, beaucoup de marques de tristesse dans ses traits. Supposons que cette dernière prenne, un beau matin, la décision de sourire à tous ceux qu'elle rencontrera. Elle va graduellement retrouver sa joie de vivre et imposer à sa physionomie la manifestation de cette joie. Imaginons maintenant quelqu'un qui a le dos voûté comme s'il portait le poids des problèmes du monde entier sur les épaules. Cette personne décide d'entreprendre un traitement pour étirer, allonger ses muscles et redresser ses épaules. Elle ressentira les effets de ce traitement dans son caractère: elle connaîtra petit à petit une vie plus heureuse en se libérant de ce fardeau qu'elle portait sur les épaules. Cependant, je crois fermement que les résultats seront beaucoup plus rapides si le travail de redressement du dos, dans ce cas-ci, est amorcé de l'intérieur de l'être. Une personne qui travaille exclusivement sur son corps physique prendra sans doute des années à redresser sa colonne vertébrale. Si, en plus, elle faisait un travail mental et spirituel, si elle commençait à prendre la vie de façon plus légère et changeait complètement de comportement, elle redresserait sa colonne beaucoup plus rapidement. S'occuper de son corps physique en même temps que de sa vie intérieure, voilà l'idéal!

TU ES LA FORME DE TON CORPS

La forme de notre corps a été déterminée à partir de notre conception, pendant toute la durée de la gestation et jusqu'à l'âge de six ans environ. C'est pendant cette période que se prennent la plupart des décisions qui vont influencer toute la vie de l'être humain. C'est pendant cette période aussi que nous faisons tout un stockage à l'intérieur de nous-mêmes qui influencera plusieurs parties de notre corps. Nous enregistrons tout ce qui nous a plu, déplu, heurté, blessé. Ce sera surtout ce dernier type d'informations reçues qui dérangera le plus notre corps. On ne voudra plus se souvenir de tout ce qui nous a heurté, blessé profondément. Ces blessures profondes se logent donc dans notre corps d'énergie et causent ainsi des blocages au niveau du corps physique. A mesure qu'un individu en devient conscient et qu'il élimine ces blocages douloureux, son physique change graduellement. Quand le corps, dans une partie ou dans son entier, est régulier, cela indique que tout est équilibré.

Si un homme ou une femme a un TRÈS **PETIT CORPS**, qui ressemble presque à celui d'un enfant, cela indique qu'il y a eu arrêt de croissance chez cette personne à un moment ou l'autre de son enfance. Cette décision a pu être prise à cause de l'observation de quelque chose de trop douloureux qui se vivait par le parent du même sexe. Par exemple, prenons le cas d'une femme qui, quand elle était petite fille, a vu sa mère souffrir énormément d'une existence écrasante. Elle s'est presque sentie obligée de devenir adulte avant son temps car on lui a donné beaucoup de responsabilités dès son tout jeune âge. Cette petite fille qu'on empêchait de vivre sa vie d'enfant a pu décider, à un moment donné, qu'elle n'avait pas le goût de devenir adulte si tôt, qu'elle voulait demeurer enfant toute sa vie car la vie d'adulte semblait douloureuse. C'est ainsi que cette personne aura freiné sa croissance physique. Chez l'homme, il peut s'agir du petit garçon qui a observé la même difficulté de vivre chez son père. Ou encore, il a pu voir son père comme un être tellement impressionnant, puissant et sage qu'il l'a placé très haut sur un piédestal, croyant ne jamais pouvoir arriver un jour à sa cheville. Il est alors demeuré tout petit justement pour se donner raison de croire qu'il n'arriverait pas à sa cheville.

Ces personnes au très petit corps donnent aussi l'impression de porter un très lourd fardeau sur leurs épaules. Ce fardeau les écrase et les empêche de continuer à croître. Ce sont des personnes qui se sentent très responsables de tout ce qui se produit dans leur entourage. J'ai pu observer aussi que plusieurs très petites personnes, pendant leur enfance, en avaient beaucoup voulu à une personne soumise. En général, il s'agissait de l'un des parents. Elles avaient beaucoup jugé et critiqué cette personne et, malgré leur décision de ne pas être elles-mêmes des personnes soumises, elles le sont finalement devenues.

Quelqu'un qui a un **GRAND CORPS** est une personne qui se sentait déjà grande pendant son enfance, et qui a décidé d'être comme sa mère ou son père, et même de les dépasser. Il y a en elle une aspiration à se développer sur le plan de l'être, qu'elle en soit consciente ou non. Il est remarquable de constater, d'une génération à l'autre, que les individus, autant hommes que femmes, sont de plus en plus grands.

Un **GROS CORPS** (souffrant d'**OBÉSITÉ**), dont le poids est toujours bien au-dessus de la normale, représente en général le besoin de protection. La personne s'est enveloppée de beaucoup de graisse soit pour se protéger des blessures, des critiques ou des abus que les autres pourraient lui infliger, soit pour se rendre peu attrayante sexuellement. Cette décision vient du rejet d'elle-même ou de sa féminité/masculinité. On remarque aussi que des gens d'un poids plutôt normal se mettent à engraisser lorsqu'ils vivent une période d'insécurité, de malaise ou de besoin de protection plus grand. Puis, dès que la période menaçante est passée, l'excès de poids disparaît.

La personne qui est très possessive et veut tout retenir pour elle-même ou qui a continuellement des attentes peut se retrouver avec un exès de poids car elle veut tout ramener à elle. L'obésité affectera aussi celle qui n'ose pas passer à l'action à la suite de ses décisions. Elle bloque elle-même l'énergie, et son corps grossit.

Vers les années 1930, un psycholoque américain du nom de Sheldon a fait beaucoup de recherches sur le comportement humain. Il en est venu à la conclusion que les gens pouvaient être classés en trois catégories, selon la forme de leur corps: le TYPE ENDOMORPHE, le TYPE MESOMORPHE et le TYPE HECTOMORPHE.

Le **TYPE "ENDO"** a un corps rond dont la partie supérieure est très importante. Cependant, ses bras et ses jambes ne sont pas très gros. Il a un gros visage, une figure molle et ronde, reposant sur un cou assez court. Il a les épaules hautes au contour mou, la poitrine grasse et le ventre volumineux. Il se caractérise aussi par une peau molle et des os fins. Le type "endo" est plutôt émotionnel. Son comportement sera décrit dans le tableau correspondant à cet aspect physique, à la page 119

Le **TYPE "MÉSO"** est plutôt physique, musclé. D'un aspect carré, son corps semble dur. Il a la taille basse, un visage large et carré, des lèvres fermes et épaisses, le cou long et musclé. Il a le thorax beaucoup plus développé que le ventre et ses épaules sont un peu basses. Il a de bonnes hanches larges et puissantes, des jambes et des bras massifs, musclés, une peau épaisse et de gros os.

Le **TYPE "HECTO"**, finalement, est le grand mince au corps très délicat. Il a un petit visage de forme plutôt triangulaire, le menton pointu, de petites lèvres, un cou long et très mince. Il a aussi les épaules tombantes, plutôt portées vers l'avant, le ventre très plat, des jambes et des bras très maigres. Sa peau est fine et sèche et il a de petits os. Le type "hecto" est davantage mental, cérébral.

À la page suivante, il y a le tableau explicatif du caractère correspondant à l'aspect physique de ces trois types.

Il est rare qu'une personne soit exclusivement "endo", "méso" ou "hecto". On retrouve, en général, un mélange de deux ou trois types chez la majorité des gens avec une prédominance de l'un des 3 types.

Notons aussi que, si une partie du corps est beaucoup plus grosse qu'elle ne devrait l'être, c'est le signe qu'il y a de l'énergie bloquée à cet endroit-là.

Les **GRANDS PIEDS** se retrouvent chez des personnes qui ont décidé de se brancher à la terre pour y capter un surplus d'énergie. Ces personnes ont dû se sentir en sécurité au contact de leur mère, pendant l'enfance. C'est pourquoi elles continuent de s'approvisionner en énergie au moyen de la plante de leurs pieds. Cette énergie leur provient maintenant de la terre-mère. De **PETITS PIEDS** dénotent le contraire. Ils indiquent que la personne cherche sa sécurité vers le ciel, le cosmos qui représente le père.

Des **ORTEILS** qui s'accrochent comme pour rentrer dans le sol, sont une marque d'inquiétude. Par contre, des orteils qui sont complètement décollés du sol, faisant que

TEST POUR CONNAITRE LES AUTRES (selon Sheldon)

	ENDO (émotionnel, viscéral)	MESO (Physique, somatique)	HECTO (mental, cérébral)
Tendance Générale	Paraît solidement fixé à la terre, dépendant (pour sa survie ou l'accomplissement de sa destinée), d'une absorption supérieure de nourriture et de vie sociale.	S'est un peu éloigné des sources naturelles, mais a su se donner un puissant équipement à la fois offensif et défensif. Il conquiert ce qu'il désire par un effort musculaire vigoureux et cépend surtout de ses facultés de chasseur.	Semble s'être encore plus éloigné des sources naturelles de sa subsistance, mais paraît avoir sacrifié à la fois la masse émotionnelle et la masse physique en parvenant à une plus grande sensibilité et à un raffinement prononcé des organes récepteurs des 5 sens.
Comportement psychologique en vingt points	1. relaxation dans l'attitude et le mouvement	maintien et mouvement fermes et décisifs	retenue de l'attitude et du mouvement: étroitesse guidée
	2. amour du confort physique	amour de l'aventure	réactions physiologiques excessives
	3. lenteur des réactions	réaction énergétique	rapidité excessive des réactions
	4. amour de la nourriture	besoin et plaisir de l'exercice	goût de l'intimité
	5. plaisir à manger en groupe	amour de la domination: appétit du pouvoir	tension mentale excessive; hyperattention; anxiété
	6. plaisir à digérer	amour du risque et du hasard	secret; sentimental; contrôle des émotions
	7. amour des cérémonies courtoises	manières intrépides et directes	mouvements inquiets des yeux et du visage
	8. très sociable	courage physique au combat	très peu sociable

Comportement psychologique en vingt points

TEST POUR CONNAITRE LES AUTRES (selon Sheldon) suite

ENDO (émotionnel, viscéral)	MESO (Physique, somatique)	HECTO (mental, cérébral)
9. amabilité sans discrimination	agressivité compétitive	agressivité compétitive
10. grand besoin d'affection et d'approbation	insensibilité psychologique	résistance à l'habitude: automatisation faible
11. orientation vers autrui	claustrophobie	agoraphobie
12. stabilité de la dimension émotionnelle	absence de pitié et de délicatesse	attitude imprévisible
13. tolérance	voix sans retenue	voix retenue, crainte de faire du bruit
14. satisfaction paisible	indifférence à la douleur	hypersensibilité à la douleur
15. sommeil profond	goût du tapage	insuffisance de sommeil
16. manque de caractère	apparence de maturité	manières et apparence jeunes
17. communication libre et facile du sentiment	expansion active	introversion
18. relaxation et sociabilité sous l'influence de l'alcool	suffisance et agressivité sous l'influence de l'alcool	résistance à l'alcool et aux autres drogues déprimantes
19. besoin des autres en cas de désarroi	besoin d'action en cas de désarroi	besoin de solitude en cas de désarroi
20. tourné vers l'enfance et les relations familiales	tourné vers des buts et des activités de jeunesse	tourné vers les périodes tardives de l'existence

la personne se tient sur le bout des talons, indiquent un grand esprit d'indécision. Imaginez une personne debout dans cette position! Il ne suffirait que d'une légère poussée pour la faire tomber à la renverse. Les pieds d'une personne qui se tient debout devraient être écartés d'une largeur sensiblement égale à celle des épaules. Plus les pieds sont collés, plus c'est une indication de timidité, de discrétion, de difficulté à prendre sa place face aux autres. Quand, par contre, on écarte trop les pieds, on a encore de la difficulté à prendre sa place, mais on donne l'image d'être sûre de soi. Cette force apparente ne cache, en fait, que de la fragilité.

De **GROSSES JAMBES** sont nécessaires à une personne qui se croit obligée de tout faire par elle-même pour s'assurer une sécurité matérielle. Elle a pris la décision, quand elle était enfant, d'avoir besoin d'y voir, d'avoir besoin de jambes solides parce que sa sécurité devait venir d'elle-même. Les TRÈS **PETITES JAMBES** expriment le contraire. Elles dénotent quelqu'un qui est davantage tourné vers son énergie spirituelle et qui préférerait voir quelqu'un d'autre s'occuper de l'aspect matériel à sa place. Il s'agit là d'un désir secret, mais profond.

De **GROSSES CUISSES** indiquent une personne qui vit du ressentiment. Il y a des choses qu'elle n'a pas voulu accepter dans sa jeunesse, des situations ou des événements qu'elle a trouvés injustes. Et elle continue de transporter cela avec elle dans ses cuisses, même si c'est lourd. Cependant c'est la plupart du temps inconscient.

Les personnes qui ont les **CUISSES TRÈS SERRÉES** et dont les jambes s'écartent à partir des genoux, sont plutôt réservées et timides. C'est aussi leur façon inconsciente de bloquer l'énergie à cet endroit, et de bloquer leur sexualité. L'énergie reste dans le bassin et les cuisses et ne va pas dans la jambe. Voilà pourquoi celle-ci et la cheville sont beaucoup plus fines que la cuisse. Tant que l'énergie reste bloquée dans le bassin ou dans les cuisses, il est impossible d'exécuter un mouvement rapide. Ces personnes ont de la difficulté à vraiment vivre dans leur corps et ne sont pas assez enracinées dans le sol. Elles ont l'impression de n'obtenir aucun résultat de leurs actions, croyant qu'elles n'arriveront jamais qu'à un échec. Aussi se dépriment-elles facilement.

Un **GENOU TRÈS DROIT** dénote de la rigidité. Un genou qui plie ou fléchit légèrement est plutôt signe de liberté, de solidité face à n'importe quelle situation. Un **GENOU QUI PLIE FACILEMENT** est une indication de tendance à l'humilité. N'oublie pas que ce sont nos genoux qui entrent en action dans le geste de s'agenouiller. Ce geste se fait pour prier ou faire une demande, ou encore pour demander pardon à quelqu'un.

Examinons maintenant les **DÉMARCHES**. Comme il est intéressant d'observer la démarche des gens! Il faut prendre garde cependant de ne pas sauter trop rapidement à des conclusions définitives sur le caractère de la personne que nous observons ainsi. Mais il est certain que nous trouvons des indications de son caractère réel.

Une personne qui, en marchant, met beaucoup en évidence sa tête et son buste en les projetant au-devant d'elle, est une personne qui, dans la vie, fonce d'abord et réfléchit après. Les décisions sont prises très vite, et quelquefois, sans prudence.

La personne qui, au contraire, a les pieds qui prennent les devants alors qu'elle a le tronc légèrement en arrière, est très portée à la réflexion: elle avance avec une très grande prudence. Il se peut même qu'elle rate des occasions à force de trop réfléchir. Quelqu'un qui a une démarche calme et mesurée et dont les pas sont plus ou moins égaux démontre de l'équilibre, de la fermeté d'esprit et de la détermination dans ses décisions.

Celui qui marche lentement, les jambes écartées et le ventre poussé en avant est gonflé de son importance. C'est généralement un amateur d'effets et on le voit parfois équipé d'accessoires comme, par exemple, un cigare qui fait pratiquement partie de son personnage!

Celle qui a la démarche lente et nonchalente est une personne indécise, ennuyée et lasse. Elle a souvent des accès de paresse et de découragement. Par contre, celle dont la démarche est alerte et vive fait montre d'enthousiasme et de joie de vivre.

Celui qui a une démarche fière et qui avance hardiment est un individu bien dans sa peau. Cependant, il peut aussi bluffer les autres, parfois. La démarche hésitante d'une personne qui avance péniblement, d'une façon irrégulière, comme si elle voulait être invisible, est un signe de timidité, d'inhibition, de crainte des autres ainsi que de manque de confiance en soi.

La personne qui marche à pas comptés, qui s'arrête, qui repart, est une personne très minutieuse, très méticuleuse et pour qui il est important de ne pas déplaire aux autres et de ne pas trop se hasarder dans la vie. Une personne qui marche à grandes enjambées est une ambitieuse, une fonceuse qui supporte toutefois la contradiction plutôt mal.

La personne qui marche à très petits pas et qui donne l'impression d'effleurer à peine le sol a une souplesse qui indique de l'intrigue, de la ruse, de même qu'une grande faculté de retomber sur ses deux pieds dans n'importe quelle situation de danger.

La personne qui marche les pieds en dedans est portée à une prudence et à une réflexion excessives. Celle qui marche les pieds en dehors est contente d'elle-même. Cependant, elle peut être vulnérable et imprudente en affaires, au point même de se faire rouler.

Par sa démarche ondulente, glissante, la personne qui donne l'impression de se faufiler entre les obstacles au lieu de les affronter montre soit des signes de timidité, soit des signes de témérité.

SOUVIENS-TOI QUE, QUAND JE PARLE D'UNE PARTIE DU CORPS QUI EST GROSSE OU PETITE, C'EST TOUJOURS EN FONCTION DES PROPORTIONS DU RESTE DU CORPS.

Chez la femme comme chez l'homme, les **PETITES FESSES** se retrouvent souvent chez des gens qui marchent les fesses serrées, en les rentrant vers l'intérieur. Cela dénote une tendance à maintenir perpétuellement le contrôle, la difficulté à se laisser aller, ou encore la peur que les autres prennent le pouvoir sur eux. Chez les hommes, cet état se retrouve davantage chez les homosexuels. Du côté des femmes, il s'agit plutôt d'un effort de coquetterie. Dans tous les cas, ces personnes ont beaucoup d'énergie bloquée dans le haut du corps, dans la poitrine. Elles ont aussi beaucoup de difficulté à s'abandonner sexuellement. Les **GROSSES FESSES**, au contraire, indiquent chez leurs propriétaires la tendance à prendre du pouvoir sur les autres au moyen de la sexualité ou de la matérialité.

L'homme qui a un **TRÈS GROS PÉNIS** sera souvent un

individu qui se valorise beaucoup par ses prouesses sexuelles, qui canalise beaucoup l'énergie dans cette région de son corps et qui se croit plus homme parce qu'il a un plus gros pénis. Chez lui, le physique est très important. Au contraire, l'homme qui a un **TRÈS PETIT PÉNIS** est quelqu'un qui, plus jeune, a pris la décision que cette partie de son corps était source de péché. Il aurait même voulu ne pas avoir autant de désirs sexuels, ni se sentir aussi coupable de se masturber. Un trop petit ou trop gros pénis se retrouve souvent chez un homme qui avait un très fort complexe d'Oedipe.

L'homme qui se sent très responsable du bonheur des autres va souvent vouloir faire passer le plaisir sexuel de la femme avant le sien et ne portera pas tellement d'attention à la dimension de son pénis ou à ses désirs sexuels. Au contraire, celui qui est plus avide de sensations et de gratifications personnelles va penser beaucoup plus à lui, à son plaisir personnel. Il mettra davantage d'énergie sur son pénis.

La sexualité entre l'homme et la femme est un moyen de communication et de reproduction. Plus l'homme a un gros pénis, plus il trouve ce moyen de communication important. Il éprouvera le besoin de rechercher beaucoup de contact à travers l'acte sexuel. Il en va de même pour la femme. Le vagin et les grandes et petites lèvres correspondent à la bouche et aux lèvres du visage: plus la bouche est grande, plus on se trouve en présence d'une personne aimante qui trouve la communication importante. La femme qui a une **TRÈS PETITE OU TRÈS GRANDE OUVERTURE VAGINALE** a soit beaucoup de difficulté, soit beaucoup de facilité à communiquer sexuellement avec un partenaire.

Un **BASSIN TRÈS LARGE** et un **GROS VENTRE**

démontrent un blocage d'énergie à cet endroit-là. Cette personne ne laisse pas passer ses énergies pour les faire monter vers la tête ou descendre vers les pieds, et elles se retrouvent bloquées dans le ventre. Ce sont les énergies de peur, d'insécurité, de pouvoir et d'orgueil qui prédominent. Pour les libérer, il est important de développer la foi en la vie qui prend soin de tout le monde sur la terre, et d'apprendre à s'aimer soi-même et à aimer tout ce qui nous entoure.

Une **GROSSE POITRINE** qui semble gonflée, remplie d'air, se retrouve justement chez une personne qui retient l'air au-dedans d'elle. Elle refuse de relâcher cet air qu'elle emprisonne comme si elle craignait d'en manquer. Cela dénote la peur de manquer de quelque chose, le désir de toujours tout contrôler, tout vérifier et de faire attention à tout. Cela signifie aussi une grande difficulté à faire confiance. Au lieu de se valoriser par son être, cette personne se valorise énormément par sa performance, ce qui lui crée un grand besoin de reconnaissance dans ses contacts avec les autres.

Une **POITRINE** TROP ÉTROITE, une **PETITE POITRINE**, désigne une personne qui a de la difficulté à aspirer l'air, à aspirer la vie, comme si elle avait peur de se laisser aller à vivre complètement. La personne qui accepte de respirer pleinement accepte de vivre pleinement. Nous, les occidentaux, arrivons difficilement à respirer jusqu'au fond des poumons. Nos émotions bloquent souvent l'air au niveau du plexus solaire. On a de la difficulté à aspirer la vie pleinement. C'est simple à saisir! Avez-vous remarqué la différence entre les occidentaux et les orientaux? Pour ceux-ci, la respiration est primordiale! Dès leur jeune âge, on leur apprend à respirer. Ils étudient le yoga. Ils apprennent à puiser le gros de leur énergie dans l'air qu'ils respirent. Leur maître, **BOUDDHA**, est représenté dans une attitude méditative, les jambes et les bras ouverts, le ventre arrondi. Il a l'air tout simplement d'un bon vivant. Et, pour nous, les occidentaux, notre maître, qui est **JÉSUS**, est représenté crucifié, souffrant, le corps tendu sur la croix. Il a les bras ouverts, mais ses mains sont attachées et ses jambes sont très serrées et croisées. C'est comme si nous avions été conditionnés à la souffrance. Il nous est difficile d'accueillir les bonnes choses de la vie: on a l'impression qu'il faut souffrir pour mériter le bonheur. Cette mentalité est la cause de beaucoup de malaises et de maladies.

Les **SEINS** représentent le principe de la maternité. Les hommes tout comme les femmes aux **GROS SEINS** sont des êtres qui ont commencé très jeunes à materner leur entourage et qui se croient obligés de jouer un rôle maternel avec tout le monde, afin d'être aimés. Même s'ils développent cette habileté à materner, il ne s'agit pas toujours de leur premier choix. A maintes reprises, ces personnes choisiraient volontiers de ne pas être aussi maternelles, mais elles se sentent obligées de l'être. Elles éprouvent le besoin de faire admirer cet aspect de leur personnalité et ont besoin de la reconnaissance de leur conjoint ou des enfants. On en voit même qui deviennent très souvent la mère de leur mère...

A l'opposé, celle qui a de **TRÈS PETITS SEINS** est une personne qui doute de ses capacités maternelles. Cela ne signifie pas qu'elle soit incapable de materner. En réalité, elle ne se croit pas une si bonne mère et elle éprouve le besoin constant de se le prouver.

Les **SEINS MOUS et pendants** représentent la mollesse d'une personne qui va beaucoup parler mais qui, au fond, ne fera pas grand chose. On retrouve cette attitude, par exemple, chez une mère qui menacera souvent ses enfants de sévir de telle ou telle façon mais qui ne passera pas à l'action. Elle n'est pas assez ferme dans sa façon de materner.

Les bonnes **GROSSES ÉPAULES** se retrouvent chez une personne qui semble dire: "Amenez-en! Je suis capable d'en prendre!" Les épaules qui s'affaissent **VERS L'AVANT**, par contre, se retrouvent chez une personne qui a l'impression de soutenir le monde entier. Elle éprouve non seulement le sentiment d'avoir de nombreux problèmes à régler, mais elle a aussi l'impression de porter le sort des autres sur ses épaules. Elle aurait intérêt à vérifier si elle n'a pas pris sur elle des fardeaux qui ne lui appartiennent pas.

Les **ÉPAULES CRISPÉES VERS LE HAUT** démontrent, chez une personne, un état de tension perpétuelle: elle se prépare, sans relâche, à supporter toutes ces choses-là qui peuvent lui tomber dessus. C'est comme si elle concentrait toujours sa force dans ses épaules pour soutenir les charges qu'elle a décidé d'y poser. Elle croit souvent avoir la responsabilité du bonheur de tout un entourage qui est craintif et toujours sur la défensive.

Le **COU** fait le lien entre le corps et l'esprit. Il est aussi le support de la tête. Cette portion du corps est un bon indicateur de toutes les ressources d'énergie vitale car toutes les circulations la traversent: les circulations sanguine, respiratoire, alimentaire et nerveuse. Voilà donc une très importante partie du corps.

Un **COU** qui est très **droit et rigide**, avec une tête bien campée, exprime souvent un grand désir de réussite, mais dans le respect de toutes les règles et le contrôle des émotions. Cette personne a besoin qu'on la reconnaisse comme très responsable. C'est surtout l'expression d'une image paternelle, c'est-à-dire de l'être capable, courageux et fort.

Un **GROS COU, long, large et musclé**, dénote de fortes ressources d'énergie vitale et de grands désirs à satisfaire, surtout sur le plan matériel, physique et sexuel.

Un **COU COURT**, charnu et fort, montre aussi une grande force vitale. Cependant, celle-ci doit s'exprimer de manière très rapide, spontanée. Un **COU LONG** indique un manque de spontanéité dans les contacts humains, une certaine froideur, une plus grande réserve et de la nervosité.

Un cou qui semble **marquer une cassure** au niveau de la septième vertèbre, qui part du haut du dos et va beaucoup vers l'avant est souvent l'indice de situations difficiles vécues dans l'enfance.

Les **BRAS** représentent la capacité d'embrasser de nouvelles expériences de vie. Les articulations des poignets et des coudes sont les endroits où nous emmagasinons de vieilles émotions dont souvent nous ne voulons pas nous défaire. Elles nous enlèvent la flexibilité requise pour faire face à de nouvelles expériences. Les bras servent aussi à donner l'accolade aux gens, à les prendre dans nos bras. Ainsi, de **grands bras** longs dénotent une grande aptitude à embrasser de nouvelles expériences, à accueillir les gens. Des **bras très courts**, par contre, indiquent une réserve et moins de facilité à accueillir la nouveauté qui se présente.

Une **MÂCHOIRE TRÈS LARGE** est un signe de force et de résistance physiques. Les gens aux mâchoires larges ont une plus grande réserve d'énergie, se fatiguent moins vite et manifestent une plus grande constance, une plus grande persévérance. Ce sont des gens qui ont un grand sens pratique, qui sont des réalisateurs. Par contre, une **MÂCHOIRE TRÈS ÉTROITE** est un indice de faiblesse des instincts, de défaut de réalisation, une marque de timidité ou de nervosité. Cela peut aussi indiquer un manque de sens pratique.

Une **MÂCHOIRE À ANGLE ARRONDI**, très ronde sur les côtés, est un signe de féminité et de douceur. Elle est cependant aussi un indice de faiblesse dans la prise de décisions et dans l'exécution de projets. Une **MÂCHOIRE CARRÉE** est un signe de masculinité, de force et de vigueur dans les décisions et les initiatives à prendre.

Si la mâchoire révèle la force intérieure instinctive, le menton va en révéler l'intention, la direction.

Un **MENTON HAUT** dénote la lenteur des réactions chez une personne pour qui les intérêts matériels priment.

Un **MENTON COURT** indique une personne qui a des décharges rapides d'énergie et une certaine fragilité dans la réflexion.

Un **MENTON LARGE** est un signe d'énergie, de sens pratique et d'esprit positif. On le retrouve chez quelqu'un qui aime réaliser des choses concrètes. Un **MENTON ÉTROIT** désigne une vitalité moindre et une plus grande nervosité.

Un **MENTON ROND** est un signe d'amabilité, de bonhomie. Il dénote une personne confiante et très stable ainsi qu'un bon sens social.

Un **MENTON PROJETÉ VERS L'AVANT** indique de la force dans la détermination. Il est un signe de volonté, d'esprit de décision, d'autonomie, de fermeté. Il peut même indiquer de l'arrogance et de la brutalité dans la détermination.

Un **MENTON EN RETRAIT**, qui se retrouve souvent chez une personne qui a une mâchoire courte, est un signe de faiblesse, de dépendance. Il dénote une personne facilement impressionnable et très vulnérable.

Un **MENTON GRAS**, qui semble pendre, indique un être chez qui la vie matérielle domine et qui a un goût marqué pour la bonne chère et les plaisirs. Un **MENTON POINTU** dénote de la nervosité et de l'instabilité.

Une personne qui a une **FENTE SUR LE MENTON** manifestera un esprit juvénile et aimable. Elle aurait eu le goût de rester enfant et recherchera des plaisirs faciles. Cette caractéristique peut aussi indiquer une humeur changeante.

Voyons maintenant ce que la **BOUCHE ET LES LÈVRES** nous révèlent du caractère de la personne. La bouche indique nos désirs, nos appétits, nos déceptions, nos refus. C'est sur elle que s'inscrit notre vie affective et sensorielle. Quand je parle de grande ou de petite bouche, on doit l'évaluer proportionnellement avec l'ensemble du visage.

On dit qu'une **GRANDE BOUCHE** est plus gourmande qu'une petite bouche. Une grande bouche exprime l'expansivité, l'extraversion. On a besoin d'une grande bouche pour satisfaire tous ses appétits, qu'ils soient de nature matérielle, affective, intellectuelle ou sexuelle.

La **PETITE BOUCHE** indique le contraire, c'est-à-dire un certain refus des nourritures extérieures, du repli sur soi et une sorte de fermeture à l'entourage. Elle est un signe de caractère introverti, d'assez grande timidité, ou d'un besoin de filtrer les informations reçues.

Une **BOUCHE QUI EST RENTRÉE PAR EN-DEDANS** est un signe de manque de sociabilité, de retrait. Cela est surtout manifeste chez les personnes vieillissantes.

Une **BOUCHE QUI RESSORT** indique souvent un

caractère plus enfantin. Elle sera l'indication d'une dépendance envers la mère, envers le milieu extérieur, envers les nourritures matérielles autant qu'intellectuelles. Elle dénotera une personne facilement influençable et qui manque de volonté.

Une **BOUCHE MINCE ET RECTILIGNE** est un indice d'activité, d'objectivité et de fermeté, alors qu'une **BOUCHE PLUS SINUEUSE ET AUX FORMES PLUS PRONONCÉES** manifeste un caractère plus féminin, plus sensible, plus influençable.

Les **LÈVRES PINCÉES** semblent moins sympathiques que les **LÈVRES CHARNUES**. Celles-ci indiquent de la gourmandise et beaucoup d'attrait pour les plaisirs des sens.

Une **BOUCHE MOLLE ET ENTROUVERTE** dont la lèvre inférieure semble ne pas vouloir se fermer indique un manque de volonté.

Une **BOUCHE DONT LES COINS SONT RELEVÉS** annonce l'optimisme, la joie, l'entrain alors qu'une **BOUCHE AUX COINS TOMBANTS** révèle une conscience aiguë des difficultés présentes.

Voici le sens de **l'ESPACE ENTRE LA BOUCHE ET LE NEZ**. Si cet espace est long, cela indique que l'énergie physique l'emporte sur les forces mentales. Dans le cas d'un espace étroit, il y a prédominance des forces mentales.

Observons maintenant le **NEZ**. Afin de déterminer si celui-ci est trop long ou trop court, évaluons-le en le mesurant de la manière suivante: dans un visage bien proportionné, la hauteur du nez, la hauteur des oreilles et l'espace entres les pupilles sont à peu près égaux.

Un **LONG NEZ** est un signe d'aptitude à la réflexion. Il dénote une personne qui prend son temps, qui prémédite ses décisions, ses actions et qui, faisant le lien entre le passé et le futur, tient compte de l'expérience acquise avant de se décider. Le **NEZ COURT**, lui, désigne plutôt de la spontanéité, de la promptitude et de la rapidité dans les réactions.

Un **GRAND NEZ**, dont la base est forte, solide et large, accompagnée de narines dilatées, dénote quelqu'un qui utilise toutes ses ressources d'énergie au maximum. On voit souvent des politiciens ou des chefs d'entreprises avec un tel nez. Par contre, un **PETIT NEZ**, qui semble pincé et dont la base est étroite avec les narines fermées, correspond au caractère d'un individu qui éprouve un plus grand besoin d'économiser ses forces. Il se retrouve chez une personne assez effacée et qui manque de confiance en elle-même pour affronter les obstacles.

Une personne dont **l'ARÊTE DU NEZ EST LARGE et DROITE** est capable de se discipliner et de bien maîtriser son énergie disponible.

Un **NEZ ARQUÉ ET FORT** se retrouve chez les conquérants et les organisateurs, alors qu'un **NEZ RETROUSSÉ**, assorti d'un front bombé, est un signe de crédulité.

La **RACINE DU NEZ** est le pont qui relie, chez l'individu, les forces mentales et les capacités de réalisation. Quelqu'un qui a un **nez à racine large et profonde** possède beaucoup de force intellectuelle et peut mener facilement ses projets à exécution rapide. Une **racine étroite et creuse**, par contre, dénote une coupure dans le courant mental des réalisations.

Le **NEZ À GRANDE BASE**, qui va davantage vers l'avant en partant du dessous, indique le degré de quête sociale: plus cette base est grande, plus il y a recherche du monde extérieur.

Si le **BOUT DU NEZ EST FIN**, c'est le signe d'une personne qui recherche le milieu extérieur d'une façon intuitive. Cela dégage plus de finesse et de délicatesse que de chaleur spontanée. Au contraire, si le **BOUT DU NEZ EST ROND ET GROS**, c'est le signe d'une personne qui recherche le monde extérieur d'une façon plus charnelle et matérielle, d'une personne qui est vraiment sociable et qui dégage une chaleur spontanée. Un **BOUT DE NEZ CHARNU, GRAS**, indiquera une recherche de contact avec l'extérieur qui s'exprimera de façon humaine et chaleureuse. Par contre, un **BOUT DE NEZ QUI NE SE PROJETTE PAS BEAUCOUP VERS L'AVANT** indique une absence de goût pour les contacts, et de la timidité.

Le **NEZ PLONGEANT**, celui qui descend vers le bas en se penchant vers les lèvres, indique de la dissimulation et un grand besoin de faire des acquisitions matérielles. Plus il sera fort, plus il désignera des personnes aptes à sauvegarder leurs intérêts dans les négotiations.

JE RÉPÈTE QU'ON NE PEUT PAS PRÉTENDRE TOUT CONNAÎTRE DU CARACTÈRE D'UNE PERSONNE SEULEMENT PAR L'OBSERVATION DE SON NEZ OU DE TOUTE AUTRE PARTIE DE SON CORPS PRISE SÉPARÉMENT. L'HUMAIN EST COMPLEXE! NOUS DEVONS ABSOLUMENT PRENDRE EN CONSIDÉRATION LES AUTRES PARTIES DE SON CORPS.

En ce qui a trait aux **JOUES**, on dit que les personnes aux bonnes joues larges s'adaptent avec plus de facilité que celles qui ont les joues étroites. Les **JOUES LARGES** traduisent une bonne réserve d'énergie et un champ de conscience ouvert au milieu extérieur dénotant donc de la facilité pour les contacts sociaux. Les **JOUES ÉTROITES** indiquent un manque de vitalité et un champ de conscience restreint.

Les **JOUES PLATES** indiquent une certaine capacité d'action, mais aussi de l'indifférence affective face aux autres. L'individu aux joues plates prend souvent des initiatives très audacieuses mais il n'a pas suffisamment de réserves d'énergie pour les porter à terme.

Les gens aux **JOUES CREUSES** sont généralement éveillés et alertes. Ils aiment les responsabilités et les endossent avec vaillance. Leurs réactions sont vives mais leur capacité d'action est faible. Ils sont de tempérament nerveux et ils manquent de vitalité.

Les joues aux **POMMETTES SAILLANTES** vont de pair avec une certaine force combative et virile, mais ne sont pas étrangères à des attitudes égoïstes et cruelles. Les **POMMETTES ÉCRASÉES** dénotent, au contraire, un besoin de repli sur soi, de solitude, d'intériorisation. Elles peuvent désigner aussi des personnes qui sont facilement frustrées.

L'OREILLE comprend trois sections. Pour qu'une oreille soit harmonieuse, selon les critères classiques, elle doit respecter les proportions suivantes: le **pavillon,** qui est la partie supérieure et qui comprend le repli ourlé vers l'extérieur, doit mesurer les 5/12 de l'oreille. La **conque**, qui en est l'ouverture, doit mesurer 4/12. Quant à la partie inférieure, que nous nommons le **lobe**, elle fait les 3/12 de l'oreille. La conque est liée aux rapports sociaux alors que le lobe est lié à l'activité concrète de la vie quotidienne.

La personne qui a un **pavillon plus gros** que la normale

est dirigée par la pensée, par un aspect intellectuel prédominant. Si la **conque est prépondérante**, cela signifie que la personne est fortement dirigée vers les contacts sociaux et l'écoute des autres. Par contre, **une conque très petite** indique un refus de ce contact et de la fermeture.

Si le **lobe est prédominant**, c'est le signe d'un esprit plus concret, davantage orienté vers l'aspect matériel des choses. Il se retrouve chez des personnes qui aiment la bonne chère, qui travaillent fort et mangent beaucoup pour faire face à leur dépenses d'énergies physiques. Le lobe prend plusieurs formes différentes; je vais décrire les plus importantes:

Le **lobe dominant, souple, allongé et pendant**, détaché de la joue, indique une grande qualité sensorielle, qui s'exprime de manière calme et équilibrée.

Le **lobe attaché à la joue**, dont l'aspect est carré, manifeste un esprit combatif, un état nerveux qui tente de s'imposer.

L'oreille **presque dépourvue de lobe** est l'indication d'une nervosité, d'une absence d'expression sensorielle, d'une tension psychique venant du désir de contrôle de soi, alors qu'un **lobe charnu, gras et gonflé** indique de la vitalité charnelle et de l'assurance.

L'oreille pourvue d'un **lobe petit et très mince** indique une sensibilité nerveuse et un manque de sens pratique. Accompagnée d'un grand pavillon, cette oreille désigne une personne très intellectuelle.

Une **oreille très petite** est un signe de personnalité effacée, modeste et souvent insignifiante, capable de manquer de jugement et inapte à s'apprécier à sa juste valeur. Une **oreille large**, par contre, indique une ouverture du champ de conscience, de la réceptivité à l'environnement dont les données sont facilement accueillies, et une meilleure adaptation au monde extérieur.

Une **oreille étroite** est une oreille dont la hauteur mesure plus de deux fois sa largeur. Elle indique que l'attention s'arrête à une chose à la fois, ne pouvant en embrasser plusieurs. Elle peut aussi être une marque d'intolérance.

L'**oreille haut placée** le long de la tête exprime une certaine légèreté de pensée. Toutefois, une **oreille basse**, en proportion du reste de la tête est le signe d'une pensée rationnelle, réfléchie, exigeante.

L'**oreille collée au crâne** indique un caractère soumis, de la dépendance envers le milieu extérieur, qu'il s'agisse de règlements, de lois ou d'exigences matrimoniales ou familiales. Elle dénote aussi un excès d'émotivité et du refoulement des émotions.

Une **oreille décollée** est un signe d'indépendance de l'esprit, d'autonomie et de difficulté à se plier aux normes et aux règles établies d'où difficulté à accepter une discipline trop stricte. Cela est vérifiable spécialement quand l'oreille est grande et large.

Observons maintenant les **YEUX**. Le degré de profondeur des yeux est une indication de nos rapports avec l'extérieur.

La personne dont les **yeux sont enfoncés** est quelqu'un qui se retire du monde extérieur, qui réfléchit et qui s'intériorise beaucoup. C'est comme si elle fermait ses volets pour ne pas être dérangée par ce qui se passe dehors. Cette personne ne percevra pas l'aspect global des choses mais se concentrera plutôt sur un point précis. J'ai remarqué que ces gens-là sont plus exigeants envers eux-mêmes dans leur manière d'agir. Quand ils se sentent coupables, cela vient du fait qu'ils n'ont pas agi selon le sentiment qu'ils ont de leur propre valeur, ou selon leur notion de bien et de mal. Ce n'est pas parce qu'ils se sentent responsables des autres, mais plutôt parce qu'ils se reprochent de ne pas avoir dit ou fait quelque chose de particulier.

Les personnes qui ont les **yeux à fleur de tête** sont, au contraire, très ouvertes au monde extérieur. Elles accueillent tout ce qu'elles voient au risque même de se disperser. Elles ont plus de difficulté à se concentrer sur une chose précise parce qu'elles voient surtout l'ensemble. Selon mon observation, ces personnes sont plus portées à se sentir responsables du bonheur et du malheur des autres et, quand elles se sentent coupables, c'est qu'elles ont laissé quelqu'un d'autre les culpabiliser.

Les **yeux** relevés du côté externe, à la **japonaise**, traduisent un certain dynamisme, de la gaieté, de la sensualité, de la joie de vivre. Ils sont un signe d'extraversion. Les **yeux tombants**, au contraire, c'est-à-dire ceux qui descendent du côté externe, se retrouvent chez des personnes qui sont plus émotives, plus mélancoliques, qui sont enclines à la rêverie et à la dépression. Ils sont un signe d'introversion.

Pour les personnes affligées de **STRABISME**, qui louchent, comme on dit communément, voici les interprétations qu'on donne: si l'oeil gauche louche vers le haut, c'est un signe d'émotivité sentimentale supérieure à la moyenne. Si c'est l'oeil droit qui louche vers le haut, cela dénote une émotivité intellectuelle qui amène la pensée à dériver facilement.

Quand l'oeil gauche louche vers l'extérieur, cela indique une relation difficile entre l'intelligence et l'objet ou la situation, qui se traduit par un effort intellectuel. C'est comme si l'intelligence tournait en rond. Les personnes qui louchent ainsi seront plutôt portées à la dépression. Quand c'est l'oeil droit qui louche vers l'extérieur, cela indique une personne très sensible. Celle-ci déterminera ses actions en fonction de sa sensibilité, au détriment de toute autre considération. Il n'y aura, en cela, aucune mauvaise volonté de sa part.

L'oeil gauche qui louche vers l'intérieur indique un complexe d'infériorité dû à de la crainte, tandis que si c'est l'oeil droit qui louche ainsi, cela dénote une grande susceptibilité, une tendance à la rancune. La personne ainsi affligée a toute son intelligence et son attention centrées sur elle-même.

L'oeil gauche qui louche vers le haut, mais à l'extrême, dénote une personne irrationnelle, très rêveuse, et qui n'a pas la notion du temps. Si c'est l'oeil droit qui fuit ainsi, c'est le signe d'une intelligence irrationnelle et indisciplinée.

La **DISTANCE ENTRE LES YEUX** comporte aussi sa signification. Plus les **yeux sont rapprochés** du nez, moins il y a d'espace dans le champ de conscience de cette personne. Celle-ci aura tendance à se concentrer plutôt sur ce qu'elle fait et y portera beaucoup d'attention. Si le rapprochement est extrême, il pourra même être un signe d'étroitesse d'esprit. Au contraire, quand il y une **grande distance entre les yeux**, le champ de vision et le champ de conscience s'en trouvent augmentés. Les perceptions sont plus nombreuses, plus larges. Cependant, si la distance est excessive, il y aura risque de dispersion chez la personne qu'un rien excitera, agitera.

Plus les **yeux bougent**, plus on a affaire à un grand état de nervosité. Au contraire, les **yeux fixes** peuvent **dénoter de l'attention à la situation**, de l'indifférence et même, dans les cas extrêmes, de la stupidité.

Les **SOURCILS** indignent la manière dont l'individu met son énergie en action. Les **sourcils courts** dénotent souvent de la spontanéité ainsi qu'une grande présence au moment présent. Les **sourcils longs**, eux, désignent une personne très portée à la réflexion, et si attentive avant d'agir qu'elle en devient lente dans ses actions.

Les **sourcils épais** indiquent que l'énergie s'exprime directement, sans nuances, avec fermeté. Dans les cas extrêmes, elle s'exprime même avec brutalité. Pour leur part, les **sourcils peu épais et étroits,** indiquent de la finesse et de la sensibilité.

Les **sourcils désordonnés** sont une marque de manque d'harmonie dans la manière dont la personne exprime son énergie. Sa manière de l'exprimer est imprévisible, difficile à comprendre. Les **sourcils ordonnés**, eux, marquent la constance dans l'expression de l'énergie.

Les **sourcils très rapprochés**, entre lesquels il n'y a pratiquement pas d'espace, indiquent souvent un blocage affectif. Ils se retrouvent fréquemment chez une personne possessive et même jalouse. Les **sourcils très écartés** sont un signe d'imagination, d'un champ de conscience large, de moins de blocages affectifs.

Lorsque les **sourcils sont placés très bas**, tout près des yeux, ils augmentent la capacité d'observation. Si cette proximité est extrême, ils indiquent que cette personne-là va même limiter ses connaissances intellectuelles au profit d'une attention plus soutenue. Si, au contraire, les **sourcils sont très élevés**, on a là un signe de rêverie, de dispersion.

Les **sourcils droits** marquent une certaine maîtrise de soi, une capacité de se réaliser, une énergie ferme et soutenue. **Les sourcils arqués**, eux, sont un signe de douceur, de féminité, de moins de concentration mais d'une plus grande imagination.

En ce qui concerne les **PAUPIÈRES**, plus celles-ci sont portées à se fermer, plus elles indiquent une volonté de s'intérioriser et même, un désir de se dérober.

Pour sa part, le **FRONT** est considéré comme le siège des facultés intellectuelles. Il n'indique pas une intelligence plus ou moins brillante, il marque simplement des manières différentes d'exprimer l'intelligence selon les reliefs de sa forme.

Un **grand front** n'indique pas une plus grande intelligence, mais simplement une plus grande importance donnée à la pensée. Un **front droit** ou vertical est un signe de réflexion concentrée, de plus grande stabilité, de plus grande prudence dans la pensée et dans l'action. La personne au **front très large et très haut** pourra recevoir et retenir plusieurs informations à la fois pour pouvoir ensuite les interpréter.

Un **front oblique**, penché, désigne une personne qui décide plus rapidement, qui est audacieuse, fonceuse, qui a le goût du risque. Le front très incliné montre une personne qui est souvent trop impulsive et chez laquelle le goût du risque est excessif. Cette personne agit souvent avant de réfléchir.

Le **front rond**, bien uniforme et lisse indique quelqu'un qui est très réceptif, mais aussi très rêveur et pas très rationnel. Un **front rond** mais qui est **en relief**, qui comporte des bosses, indique une personne portée à l'abstraction. Cette personne est plus philosophe et ses perceptions sont vastes. Elle est intéressée par l'avenir, par les projets, la découverte.

Un **front en forme de rectangle**, c'est-à-dire un front

beaucoup plus large que haut, indique l'étroitesse de la pensée. La personne pourvue d'un tel front a besoin de directives nettes, claires et précises. Dans un cadre très restreint, cette personne saura se montrer positive, réaliste et très objective.

En examinant la **FORME DE LA TÊTE** et en la rapportant au degré d'ouverture des organes des sens (l'ouverture des yeux, des oreilles, de la bouche et du nez) , on peut plus facilement se faire une idée du caractère d'une personne au premier abord.

Si une personne a une **tête grosse et large et de grandes ouvertures**, c'est le signe qu'elle a une grande réserve d'énergie. Cette personne est infatigable. Même si elle dépense beaucoup d'énergie, elle n'est jamais au bout de son rouleau.

Quand la **tête est grosse et que les ouvertures sont faibles** (petits yeux, petite bouche, etc.), on a là une personne qui a trop de réserves d'énergie pour la dépense qu'elle en fait. Ce trop-plein, gardé en elle, peut causer des tensions.

Celle qui a une **petite tête**, un petit visage et de **grandes ouvertures**, est une personne qui dépense trop d'énergie, compte tenu de son peu de réserves. Cette dépense crée une sorte de déséquilibre qui fait qu'elle épuise ses forces.

Celle qui a une **petite tête**, un petit visage et de **petites ouvertures** n'a peut-être pas beaucoup d'énergie en réserve, mais elle n'en dépense pas beaucoup non plus. Il y a donc plus d'équilibre dans ses échanges. En économisant ses forces, elle saura garder une attitude plus calme, plus sereine, plus prudente.

On divise le **VISAGE** en trois parties. Chez une personne

en harmonie, on aura trois zones de dimensions sensiblement proportionnelles.

La **ZONE SUPÉRIEURE DU VISAGE**, qui est celle de la pensée, part du sommet de la tête et va jusqu'en bas des yeux.

La **ZONE CENTRALE DU VISAGE** représente la vie affective ou le contact avec l'extérieur. C'est la zone des sentiments et des émotions. Elle se calcule à partir d'en haut des sourcils et descend jusqu'en bas de la bouche, sous la lèvre inférieure.

La **ZONE INFÉRIEURE DU VISAGE**, qui est celle de l'instinct et de l'action, se délimite à partir du haut de la lèvre supérieure et comprend la mâchoire, le menton et le cou.

Si on observe rapidement une personne dont l'une des zones du visage domine, on peut y trouver une indication de ce qui domine dans sa vie. Quelqu'un chez qui la zone supérieure est beaucoup plus forte que les deux autres est avant tout un penseur, un concepteur de projets et d'idées, plus qu'un réalisateur. Si c'est la zone centrale qui prédomine, c'est la marque de quelqu'un qui se laisse beaucoup impressionner par les autres et qui a énormément besoin de contact humain direct. Même ses décisions sont soumises au facteur humain. La vie de cette personne est menée par sa sensibilité. Et enfin, la personne chez qui la zone inférieure est prédominante, manifeste une aisance dans l'action et une préférence pour tout ce qui est concret.

EN TERMINANT CE CHAPITRE SUR LA MORPHOLOGIE DU CORPS HUMAIN, JE TIENS À RÉPÉTER QUE SI TU PRENDS PLAISIR À ÉTUDIER LES GENS À PARTIR DE LEUR MOR-

PHOLOGIE, IL EST IMPORTANT DE LE FAIRE EN PRENANT L'ENSEMBLE DE LEUR FORME PHYSIQUE EN CONSIDÉRATION.

Graduellement, tu pourras devenir une experte dans l'art de lire le caractère des gens en observant leurs formes physiques, leurs gestuelles. Les notions exposées dans ce qui précède te seront d'un précieux secours, surtout si tu travailles avec le public. Dans les quelques premières minutes de contact avec une personne, tu sauras comment t'y prendre avec elle, quelle attitude adopter.

Avoir la possibilité de connaître les gens par le biais de leurs malaises, de leurs maladies, pouvoir lire les traits faciaux ou la morphologie du corps sont des avantages qui ne doivent jamais être utilisés pour se valoriser, pour se sentir supérieures aux autres: J'INSISTE SUR CE POINT. On doit toujours se servir de la connaissance pour le bien des gens, et non pas pour les impressionner. Toutes les connaissances divulguées dans ce livre ont pour but de développer ta conscience, de faire grandir ton émerveillement face à cette création supérieure qu'est l'être humain.

Voici maintenant la pensée conclusive sur laquelle je te conseille de méditer pendant vingt minutes pour les prochains sept jours:

“ MON CORPS
EST LE VÊTEMENT
QUE MON ÂME PORTE
POUR SE MANIFESTER SUR CETTE PLANÈTE.
IL EST DONC
L’EXPRESSION DE MON ÂME.”

CHAPITRE 11
TU ES TES MALAISES ET MALADIES

En effet, quand tu expérimentes un malaise ou qu'une maladie se manifeste dans ton corps, c'est lui qui t'adresse un message. Il te dit que, présentement, tu penses, ressens, dis ou fais quelque chose qui ne t'est pas bénéfique. Tu vas bientôt découvrir que ces messages ont pour but de te ramener rapidement dans la voie de l'amour. Car la maladie est le signe que dans un aspect de ta vie, tu manques d'amour envers toi-même, envers les autres ou dans la vie en général.

Je suis du nombre des tenants de la théorie qui prône l'origine psychosomatique de toutes les maladies. Cette école de pensée croit en l'interaction entre la pensée (du grec "psycho") et le corps (du grec "soma"). Auparavant, quand on parlait de maladie psychosomatique, les gens se révoltaient car ils croyaient qu'il s'agissait du mal imaginaire. Maintenant, les gens sont plus conscients et mieux renseignés. Nous savons qu'une maladie psychosomatique n'est pas imaginaire : il y a vraiment un mal physique. Mais nous savons aussi que ce mal physique est l'effet sur le corps d'une cause psychique. De plus en plus de médecins croient en cette théorie, de même qu'un très grand nombre d'infirmières et d'autres professionnels de la santé.

Vous allez peut-être penser : "Mais c'est impossible ! Il y a quand même des maladies qui sont purement physiques !" Oui. De prime abord, cela semble physique. Mais dès qu'on y regarde de plus près, on fait des découvertes.

Prenons un exemple pour voir : une personne a **MAL AU COEUR** et fait une **INDIGESTION**. Elle sait qu'elle vient de manger une livre de chocolat. Elle croit donc que la cause de son malaise est purement physique : elle a simplement mangé trop de chocolat ! Mais si on veut aller plus loin que les apparences, on pourra découvrir la raison qui a motivé cette personne à manger une livre de chocolat. Qu'est-ce qui se passait dans sa vie ? Qu'est-ce qui créait un tel vide dans son coeur pour qu'elle veuille le remplir en se gavant ainsi ? Cette sorte de vide est normalement provoqué par la non-acceptation de soi. Il se peut donc qu'au moment où cette personne a mangé sa livre de chocolat, elle ne s'acceptait pas du tout, se dévalorisant et ne croyant pas en son importance. Elle éprouvait donc le besoin de trouver un "bien-être", de "se faire filer bien" en se payant des douceurs! C'est un fait assez reconnu que le chocolat est considéré comme une récompense...

Un autre exemple : prenons un homme qui se réveille le matin avec un mal de **JAMBES**. Il a fait une course à pied de trois milles la veille. Qu'il soit habitué ou non à courir, il est évident qu'il a couru au-delà de ses capacités. Il serait facile de croire que c'est purement physique. Mais il y a une raison à cette course qui l'a mené au-delà de ses forces physiques. De qui se sauvait-il ? Que voulait-il fuir ? Où voulait-il s'évader ?

Tout être humain peut se servir du signal qui lui est donné par quelque malaise que ce soit pour se conscientiser face à ce qui se passe en lui. C'est ainsi qu'il pourra faire face au problème au lieu de se dérober en se faisant accroire que tout vient de l'extérieur. Tant qu'on se fait accroire que nos problèmes sont d'origine simplement physique, la cause profonde demeure là et continue de faire des ravages. Ce point de vue sur la maladie comporte des aspects très intéressants. Elle peut devenir une expérience très positive si tu t'en sers pour évoluer plus rapidement en devenant consciente des attitudes non bénéfiques qui l'ont déclenchée, et en y apportant des correctifs.

Tu n'es pas sans savoir que **tu as en toi ton propre guérisseur** ! Supposons que tu te coupes au doigt. Ton premier réflexe est de prendre un diachylon et d'en couvrir la coupure. Puis, tu l'oublies. Quelques jours plus tard, tu enlèves le pansement pour constater que ta blessure s'est cicatrisée. Qui t'a guérie ? Ce sont les mécanismes automatiques de défense et de guérison, inhérents à chaque être humain et qui lui sont d'une valeur inestimable.

Certains prétendent que le fait d'être en amour, de connaître la paix intérieure et une grande joie de vivre permet à tous les systèmes physiques d'immunité et de guérison de fonctionner parfaitement. Ces heureuses personnes pourraient même être capables de se débarrasser des cellules cancéreuses que nous produisons tous à un moment ou l'autre de nos vies. Par contre, vivre en se laissant aller au ressentiment, à la haine, à la rancune, au désir de vengeance et à la critique continuelle affaiblit ces systèmes de guérison et d'immunité. C'est, une fois de plus, tout ce qui est contraire à l'amour qui ouvre la porte à la maladie et lui permet de s'installer.

Quelle différence peut-on faire entre médecine traditionnelle et médecine spirituelle? La **MÉDECINE TRADITIONNELLE** s'occupe d'une partie du corps, elle soigne le membre blessé, l'organe qui souffre. Elle peut secourir au moyen de médicaments, de traitements, d'opérations, etc. Elle accepte que le corps devrait normalement compléter la guérison que l'action du médecin a amorcée. Son intervention est axée sur l'effet visible qu'est la maladie. Elle ne s'intéresse généralement pas à la cause psychique qui l'a déclenchée. La **MÉDECINE SPIRITUELLE**, pour sa part, s'occupe de l'être dans son entier et touche les dimensions physique, mentale, émotionnelle et spirituelle. Ses praticiens croient fermement qu'en apprenant à aimer de façon inconditionnelle, à cultiver la joie à chaque instant de notre vie et à rechercher la paix intérieure, tout devient possible : nos maladies disparaissent. Cette médecine s'occupe d'un patient qui a un problème et non d'un problème que le patient a. Dans les hôpitaux, il est commun d'entendre parler de "l'hernie du 310", "l'ulcère du 242", "l'overdose du 540", etc.

Quand nous allons voir un médecin ou un praticien quelconque -il peut aussi s'agir d'un guérisseur- , notre pensée est la suivante : "J'espère qu'il va me guérir !" C'est tout juste si on ne lui dit pas : "Arrange mon corps ! Trouve un moyen de me guérir !" Par contre, une personne qui va du côté de la médecine spirituelle a en général une attitude différente. Elle se dit quelque chose comme ceci : "Je veux découvrir la cause de mon mal. Je reconnais que je suis responsable de toutes mes maladies, et qu'en allant à la cause de celles-ci, je mets toutes les chances de mon côté pour qu'elles ne reviennent pas. Je veux aussi apprendre à mieux me connaître à travers les maladies." Donc, le but de la médecine spirituelle est de nous aider à devenir plus conscientes de nos pensées, de nos émotions non bénéfiques. Elle nous aide à évoluer et à revenir sur le chemin de l'amour.

Ainsi donc, tu vas découvrir dans ce chapitre l'aspect métaphysique des malaises et des maladies. **MÉTAPHYSIQUE** signifie en rapport avec la connaissance des causes premières. Les causes, comme on le sait, se situent dans l'esprit, dans la pensée. Plusieurs me demandent : "Mais d'où ça vient la métaphysique ?" "Qui a inventé cela ?" "Comment peut-on être sûr que c'est vrai ?" Tout ce que je suis en mesure de répondre à ces questions, c'est qu'il n'y a jamais personne qui a pu prouver que ce n'était pas vrai ! On ne sait pas vraiment où cette science s'est développée. On sait qu'elle existe depuis l'aube des civilisations. Au début, il s'agissait d'un enseignement secret qui était gardé par les Initiés. Depuis quelques décennies, ces enseignements se répandent dans le grand public, ce qui indique que l'être humain a assez évolué pour y avoir accès.

Ne me crois pas simplement parce que j'en parle avec conviction ! Ne le crois pas simplement parce que c'est écrit dans un livre ! Crois-le seulement parce que cela produit des résultats dans ta vie. Et pour le savoir, tu dois tenter l'expérience afin d'en découvrir la validité. Tu sais, à l'époque où nous vivons, de nombreux enseignements nous sont dispensés un peu partout sous toutes sortes de formes : lectures, cours, conférences,etc. Ces enseignements ne sont précieux que dans la mesure où ils t'aident à mieux t'aimer et t'accepter ainsi que les autres. Il n'est pas très important de savoir d'où ces enseignements proviennent. Ce qui compte, c'est de voir s'il y a quelque chose qui t'aide dans ce que tu viens d'apprendre. Et comment le savoir ? En en faisant l'expérience.

Passons maintenant aux causes des maladies. Il y en a plusieurs.

Il y a d'abord celles qu'on appelle **MALADIES KARMIQUES**. Celles-ci viennent d'une vie antérieure. Ces maladies, incluant les infirmités, se retrouvent surtout chez de très jeunes enfants ou chez des bébés naissants. Ceci ne signifie pas que ceux qui en souffrent doivent accepter que ces maladies font nécessairement partie de leur vie de façon permanente. Il s'agit simplement, pour la personne qui en est affectée, d'en vivre l'expérience pour compléter quelque chose qui ne l'avait pas été dans une vie précédente. Il y a de nombreux exemples de gens qui, après avoir eu une certaine maladie ou infirmité pendant des années, parviennent à s'en débarrasser. Aux yeux de la science, il s'agit d'un miracle. Mais il n'y a pas de miracles. Il y a plutôt des transformations intérieures qui se produisent chez l'être humain. Et comme le corps est l'expression de l'esprit, il en vient à manifester dans son fonctionnement, dans ses membres, les résultats de ces transformations intérieures. Il y a même une loi spirituelle qui veut qu'une personne ait beaucoup plus de chances de se défaire d'une infirmité si elle est prête à offrir le reste de sa vie au service des autres, d'une manière désintéressée et sans attentes.

Une autre cause assez fréquente de malaises ou de maladies est leur **CRÉATION MENTALE**. Prenons, par exemple, le cas d'une personne qui aurait eu très peur d'une certaine maladie parce qu'elle a vu sa mère ou une autre personne chère en mourir alors qu'elle était enfant. La peur intense que la même chose lui arrive a créé un élémental (forme-pensée) assez fort pour que la même maladie se manifeste en elle éventuellement. Elle a donc créé cette maladie-là par son pouvoir mental. Pour se débarrasser de cet état indésirable, cette personne aurait à créer un autre élémental, un élémental de santé et de perfection pour son corps.

Aussi quand une personne croit d'avance que tel malaise ou telle maladie va lui arriver à certaine date ou à un certain moment de l'année, elle le crée mentalement et peut se le faire arriver uniquement à cause de cette croyance.

Il est aussi fréquent que des gens se créent des **MALADIES POUR ÉVITER UN AUTRE STRESS**. Prenons le cas d'une personne qui aurait à faire face à une situation très difficile au bureau et qui se fait arriver une forte grippe qui va la mettre au lit pour une semaine. Sa grippe lui évite alors de faire face à ce stress relié à son travail. Elle se repose pendant ce congé, et lorsqu'elle est de nouveau sur pied, elle est mieux équipée pour faire face à la situation. Dans son for intérieur, elle espère que le problème se sera réglé entre-temps !

Lorsqu'une maladie ou un malaise se présente, il est très utile de se poser les questions suivantes : "Quel cadeau cette maladie-là m'apporte-t-elle ? Quels avantages ai-je à être malade présentement ? En quoi cela m'aide-t-il ? De quel stress est-ce que je me sauve grâce à cela ? " Si tu découvres que tu t'es fait arriver cette maladie pour échapper à une situation stressante, il serait très important que tu acceptes l'idée suivante : il n'est pas du tout nécessaire que tu fasses autant de mal à ton corps pour te sortir d'un contexte inconfortable. Tu peux tout simplement faire face à ce genre de situation en commençant par admettre qu'elle existe. Et, s'il se trouve que tu as besoin de repos, d'un congé qui te permette de prendre un peu de recul, tu n'as qu'à te l'avouer et à en faire part aux personnes en cause, s'il y a lieu. Tu as vraiment le pouvoir de faire face à toute situation sans avoir à te causer des maladies. Ton corps aime certainement beaucoup plus cette manière de gérer le stress.

Une des plus grandes causes de tous les malaises et de toutes les maladies provient de **DÉCISIONS PRISES** à différents moments de notre vie mais surtout quand nous étions en bas âge. Ces décisions ont été prises en relation avec les autres, avec nous-mêmes ou avec la vie en général. Beaucoup de ces décisions viennent de notre observation de nos parents. Nous voulions tellement être aimées quand nous étions jeunes que nous avons "acheté" plusieurs de leurs idées et de leurs comportements. Mais leur façon de vivre était la leur et n'avait pas à devenir la nôtre ! Chaque individu doit cheminer en accord avec son propre plan de vie.

Quand ton corps te parle au moyen d'un malaise ou d'une maladie, ce n'est pas nécessairement le signe que tu dois tout changer. Peut-être ton corps te dit-il que tu dois avoir un meilleur discernement dans ta manière de te servir de ton potentiel ou dans ta façon de te comporter. Le fait, par exemple, que tu sois une personne colérique, impatiente ou agressive n'est pas un défaut en soi : c'est ainsi que tu es faite ! Mais tu dois apprendre à te servir de cette colère, de cette impatience ou de cette agressivité d'une façon qui t'est bénéfique. C'est seulement quand tu utilises ces qualités d'une façon non bénéfique qu'elles deviennent des défauts à tes yeux.

En réalité **il n'y a pas de défauts** ! Ce que nous appelons un défaut est tout simplement une qualité mal utilisée. Il peut être très bénéfique pour une personne d'être impatiente si cela la rend apte à produire un travail plus rapidement. Quant à l'agressivité, elle peut servir à faire avancer quelqu'un d'une manière accélérée et à le faire persévérer. En ce qui concerne la personne colérique, elle peut se servir de ce trait de caractère pour faire des mises au point et s'affirmer davantage face aux autres. Si tu utilises mal ces qualités, tu seras la première à en souffrir. Tu peux tenir un couteau par le manche ou par la lame : dans un cas, il te blessera, dans l'autre, il t'apportera une aide précieuse.

TU ES TES MALAISES ET MALADIES

Grâce à tes efforts pour découvrir la cause de tes malaises, tu vas devenir plus consciente de toi-même et tu vas apprendre à utiliser cette connaissance à bon escient. Alors, quand tu te sens vraiment malade, il est tout à fait conseillé de consulter un médecin. Il s'est spécialisé pour identifier ce qui ne fonctionne pas normalement dans ton corps. Écoute son diagnostic : il te conseillera sans doute un traitement à suivre, qu'il s'agisse de médicaments, d'injections ou d'une opération. C'est ensuite à toi de décider ce que tu veux faire de ses suggestions, de ses conseils. N'oublie pas qu'il s'agit de ton corps. C'est ta responsabilité, avant d'accepter un traitement quelconque, de bien t'informer des effets du médicament, des modalités du traitement, des effets secondaires possibles. S'il te recommande une opération, demande tous les détails en rapport avec cette opération : le pourquoi, le comment, les effets possibles, etc.

Le temps est heureusement révolu où les gens se laissaient charcuter avec une foi absolue en la science médicale. Dans la vie, il y aura toujours des gens à qui tu peux demander des conseils mais la décision finale devrait toujours venir de toi. C'est toi qui décides si tu veux suivre le traitement recommandé par le médecin. Ce que je te conseille fortement, c'est de suivre les indications du médecin tant que tu te sens bien de t'y conformer. En même temps, fais une recherche intérieure afin d'aller à la cause du problème le plus rapidement possible. Dès que tu auras découvert cette cause, tu vas te rendre compte que la prescription ou le traitement n'est probablement plus nécessaire. Tu réaliseras que tu es ton propre médecin, que tu peux te guérir toi-même grâce au fait d'avoir trouvé la cause du malaise ou de la maladie. Souviens-toi que le médecin est un spécialiste dans le traitement des maladies, mais qu'il n'a pas appris à s'occuper de la santé psychique ou spirituelle. Cependant, s'il a ta confiance, tu peux travailler de pair avec lui en partageant ton expérience de vie, ta démarche personnelle. Une grande complicité peut très bien s'établir entre vous car les médecins d'aujourd'hui sont de plus en plus ouverts à cette conception globale de la santé.

Une chose intéressante qui peut t'amener à identifier la cause de ta maladie, c'est d'observer ce que le praticien te prescrit. S'il s'agit d'un médicament qui doit être pris par **voie buccale** ou **rectale**, une théorie veut que la cause de la maladie soit reliée à la dimension physique et que ça concerne le passé. Il y a quelque chose qui n'a pas été accepté dans le passé. Peut-être continues-tu à vivre dans le passé ? Tu te sens peut-être coupable face à un événement passé ou à toute autre cause relative au passé. Si le médicament doit être pris par **voie cutanée**, alors le problème est davantage relié à la dimension émotionnelle. Il concerne ce qui se passe présentement dans ta vie. Il est probable qu'à l'heure actuelle certains événements te causent beaucoup d'émotions et que tu oublies de voir l'amour dans ce qui se passe. S'il s'agit d'un médicament qui doit être pris par **voie respiratoire**, la cause du problème est liée à la dimension mentale et a trait au futur. Tu peux alors découvrir que tu t'inquiètes trop pour l'avenir ou que tu as peur de quelque chose qui se rapporte au futur.

Un autre moyen pour te venir en aide dans ta recherche des causes consiste à te poser ces quelques questions : "Que s'était-il passé de nouveau dans ma vie au moment où ce malaise a fait son apparition ? Si cette partie de mon corps était complètement hors d'état de fonctionner, ça m'empêcherait de faire quoi dans ma vie présentement ? J'utilise cette partie de mon corps pour faire quoi le plus souvent ?"

Pour savoir quoi faire, pour découvrir quels moyens

prendre face à ces causes dont tu deviens peu à peu consciente, je te conseille fortement la lecture de mon livre **ECOUTE TON CORPS, TON PLUS GRAND AMI SUR LA TERRE** dans lequel j'ai donné des moyens concrets pour se débarrasser de peurs, pour exprimer ses émotions, pour arrêter de vivre dans le passé, etc.

S'il se trouvait que tu connaisses un problème dans une partie de ton corps par suite d'un **ACCIDENT**, cela veut dire que tu ajoutes de la **culpabilité** à la signification rattachée à cette partie du corps. L'être humain, quand il se sent coupable, a la réaction automatique de se punir. Souvent, on se punit par un accident ou par une douleur intense, et c'est en général le corps qui dit : "Veux-tu arrêter de te sentir coupable ? !" Es-tu vraiment coupable ? As-tu fait exprès, consciemment, pour faire du mal à quelqu'un ou pour te faire du mal à toi-même ? Si non, cesse alors de te sentir coupable ! Cette culpabilité vient souvent d'une incapacité de s'affirmer face à l'autorité et on se fait violence parce qu'on s'en veut. Savais-tu que la culpabilité est présentement l'un des pires problèmes pour l'être humain ? Celui qui lui enlève infailliblement la joie de vivre ?

Voici encore un autre moyen qui peut t'aider à identifier plus rapidement la cause d'un malaise, d'une maladie. Vérifie si c'est au côté gauche du corps ou au côté droit que le problème se localise. Le **CÔTÉ DROIT** est relié au **PRINCIPE MASCULIN** de l'être. Il représente la force, la puissance, le courage, la noblesse, la grandeur, la bravoure, la justice, la persévérance, la volonté, l'autonomie, l'aspect rationnel, logique, et le sens de l'organisation. Il est la partie de l'être qui agit. Il passe à l'action selon les ordres qu'il reçoit du principe féminin dont le rôle est de décider et de créer. Cet aspect de l'être a été fortement influencé par ton père, car c'est de lui que tu as appris à développer ce principe. Observe donc le lien qu'il pourrait y avoir entre ton père et ces différents attributs que je viens d'énumérer. **Le CÔTÉ GAUCHE** représente le **PRINCIPE FÉMININ**. Il exprime la tendresse, la pureté, la délicatesse, la beauté, la douceur, le charme, la réceptivité. Il est lié aux arts, à la poésie, à la musique, à l'harmonie. C'est de lui que viennent l'intuition et la créativité. Il permet de s'abandonner à son intuition au lieu de s'attacher uniquement au raisonnement, à la compréhension, à l'analyse. C'est la partie de l'être qui crée et qui décide. Le principe féminin de ton être a été influencé par ta mère ; tu l'as développé grâce à ce que tu as appris d'elle.

Dans la société actuelle, la majorité des gens ont appris à développer surtout leur principe masculin. Plusieurs aussi ne retrouvaient pas assez de principe masculin chez leur père alors que la mère en manifestait davantage. Ceci peut être à la source de beaucoup de confusion dans nos vies. En effet, le processus d'identification devient plus difficile à ce moment-là. L'idéal serait d'en arriver à utiliser alternativement, selon les besoins, chacun des deux principes. Souvent, notre corps nous transmet des messages à l'effet que l'un des deux principes n'est pas suffisamment utilisé, ou qu'il l'est trop, ou encore que l'homme et la femme en toi ne sont pas en harmonie.

Souviens-toi toujours que, lorsque ton corps te parle au moyen de malaises et maladies, c'est pour te rendre consciente de quelque chose que tu ne sais pas encore, dont tu ne te rends pas compte présentement. Dans les pages qui viennent, tu vas lire les causes probables des maladies et des malaises les plus courants. Aussi, avant de sauter aux conclusions en te disant : "Non ! Ce n'est pas vrai ! Moi, je ne suis pas comme ça !", ouvre ton esprit et dis-toi simplement ceci : "Présentement, je ne peux pas faire le lien entre ce que je viens de lire et ce que je vis. Mais cela demeure quand même possible. Je vais me donner du temps pour observer". Garde le plus possible ton ouverture d'esprit et demande à ton corps de t'envoyer d'autres indications dans les jours qui suivent. Car au premier abord, nous refusons souvent de voir ce que notre corps tente de nous dire par les messages qu'il nous envoie. Comprends que si tu étais vraiment consciente de ce qui se passe, des causes de ce que tu vis présentement, ton corps n'éprouverait pas le besoin de t'envoyer ce message.

Une autre chose importante à garder en mémoire, c'est que toutes les informations que tu reçois par le biais d'un cours, d'une conférence ou de la lecture d'un livre, s'adressent à toi, pour ton évolution personnelle. Tu ne dois en aucun cas utiliser tes découvertes, tes connaissances, ta compréhension pour changer les autres. Tu peux t'en servir seulement pour mieux les comprendre, pour leur manifester une plus grande compassion, pour mieux communiquer avec eux. Car quand nous prenons connaissance des messages que le corps nous envoie, il nous est toujours plus facile de tout de suite analyser ce qui se passe chez l'autre avant de s'analyser soi-même. Alors, quand tu découvres le problème de l'autre, ne vas pas chez-elle dans le but de la confronter avec tes connaissances fraîchement acquises. Utilise plutôt ce que tu as appris pour lui poser plusieurs questions et l'amener graduellement à voir son problème par elle-même. Le fait que tu saches d'avance ce qu'elle vit va t'aider à orienter tes questions dans la bonne direction.

Maintenant, voici quelque chose de très important que je

te conseille de ne jamais oublier. C'est pourquoi je vais te demander de lire la phrase qui suit à plusieurs reprises : **QUAND TU DÉCOUVRES QUE TU ES LA PERSONNE RESPONSABLE D'AVOIR CRÉÉ TON MALAISE OU TA MALADIE, IL EST TRÈS IMPORTANT DE NE PAS TE SENTIR COUPABLE.** Les gens qui font de la croissance personnelle sont en général des perfectionnistes et les perfectionnistes sont des experts dans l'art de se sentir coupables. Le but de ce livre n'est pas de développer la culpabilité. Quand tu découvres que la cause d'un de tes malaises ou d'une de tes maladies est que tu es trop entêtée, ça ne te donne absolument rien de penser : "Quelle sorte de personne je suis !" Tu vas peut-être découvrir que tu es plus orgueilleuse, plus rigide, que tu aimes plus avec ta tête que tu ne le croyais. Ces prises de conscience n'ont pas pour objectif de te faire vivre de la culpabilité ou de te traiter de personne affreuse. Elles doivent simplement t'aider à devenir consciente de pensées ou d'attitudes que tu as "achetées" quand tu étais plus jeune. Elles peuvent venir soit de tes parents, soit de ceux qui ont vu à ton éducation ou encore de ton environnement. Tu dois simplement te rendre compte que tu n'as plus besoin de ces idées "achetées" dans le passé.

Prenons une analogie qui va te permettre de bien comprendre ce point essentiel. Supposons que tu décides de faire le grand ménage chez-toi. Tu visites de petits coins que tu n'as pas vus depuis longtemps comme le fond des tiroirs et des garde-robes, le sous-sol, le garage, le grenier, etc. Tu y retrouves des objets que tu ne te souvenais plus d'y avoir placés.

Parfois ce sont des choses que tu désires conserver. Alors, tu les nettoies et les remets à un endroit où tu pourras t'en servir. Il se peut aussi que tu découvres des choses que tu n'as plus l'intention d'utiliser. Tu décides donc de les donner ou de les jeter tout simplement. Te tapes-tu sur la tête en te traitant de tous les noms : "Comme je suis affreuse ! Ça n'a aucun sens d'avoir acheté une pareille chose il y a dix ou quinze ans ! Qu'est ce que je pouvais donc penser à ce moment-là ?" Il n'y a aucun profit à te dévaloriser pour ces achats ! Tu jettes simplement ce dont tu n'as plus besoin sans en faire un drame.

Pourquoi ne pas agir de la même façon quand tu fais de la croissance personnelle et que tu deviens consciente de pensées, d'actions, de paroles et d'attitudes qui ne te sont plus bénéfiques ? Réalise que tu n'en as plus besoin et que, si elles t'appartiennent présentement, c'est que tu as pu les "acheter" à un moment ou l'autre de ta vie. Je veux dire par là que tu les a acceptées de quelqu'un d'autre. A cette époque, ça faisait ton affaire. Il est probable que ce soit maintenant quelque chose qui t'apporte surtout des inconvénients. Lorsque tu entreprends ton grand ménage intérieur, que tu lâches prise, que tu balances ces attitudes par-desssus bord, tu prépares en toi un espace qui se remplira d'amour et de belles expériences de vie. C'est ainsi qu'on développe sa capacité de créer sa propre vie en adoptant de nouvelles façons d'être, de nouvelles attitudes qui ne sont plus programmées par les gens de notre entourage. C'est de cette manière qu'on développe sa propre individualité, en laissant aller ce qui appartenait à la personnalité des autres.

Résumons : quand tu découvres un aspect de toi que tu n'apprécies pas beaucoup, proclame joyeusement : "Bravo ! Je viens de découvrir la cause de beaucoup d'ennuis passés. Maintenant que j'en suis consciente, je vais passer à l'action afin de transformer ma vie pour le mieux. Tout ce qu'il me reste à faire, c'est de réellement mettre cette découverte en pratique dans ma vie."

Maintenant, je veux t'amener à réaliser à quel point le corps humain est un instrument extraordinaire. Je veux partager avec toi ce que je sais des différents messages que ton corps te donne par le truchement des malaises et des maladies. J'ai divisé le corps en sept régions qui correspondent aux **sept chakras** ou centres d'énergie de l'organisme humain. Tout d'abord, nous avons la **région de base** qui est celle du chakra ou centre coccygien, ensuite la **région du ventre** qui est le centre sacré, la **région du plexus solaire** qui est le centre solaire, puis la **région du coeur** qui est le centre cardiaque, la **région de la gorge** qui est le centre laryngé, la **région du visage** qui est le centre frontal et enfin la **région de la tête** qui est le centre coronal. Nous verrons à comprendre le sens des malaises et des maladies en rapport avec chacun de ces centres.

PREMIÈRE RÉGION : LA RÉGION DE BASE

La région de base du corps est située à partir des fesses jusqu'aux pieds. Cette région comprend les quatre petites vertèbres du coccyx. Les personnes qui ont des problèmes dans cette région sont celles qui ont des peurs reliées à leur vie matérielle, à leur vie physique. Elles se sentent isolées, abandonnées. Elles ont l'impression d'être seules au monde pour régler leurs problèmes. Cette région du corps est faite pour nous brancher à la terre qui est notre mère. Or, la terre a toujours tout ce qu'il faut pour nourrir toutes ses créatures. Aussitôt qu'une personne ne croit plus qu'elle est entourée et qu'il y a toujours une aide disponible, elle se met à avoir peur. Son corps lui envoie un message pour l'amener à prendre conscience de ses peurs. Souvent, cette personne devient très dépendante de choses et de personnes pour son bonheur. Ont souvent des malaises dans cette région celles qui n'ont pas de but dans la vie ou qui en ont un qu'elles ont peur de mettre à exécution. Elles attendent trop que toutes les circonstances soient parfaites.

En général, les personnes qui ont des problèmes aux **pieds**, aux **jambes**, au **coccyx** ou aux **fesses** sont celles qui ont besoin de choses extérieures pour leur sécurité, qu'il s'agisse d'objets ou de personnes. De plus, elles combattent souvent une condition, un être de leur environnement qui semble une menace à leur sécurité. Elles ne sont pas du tout en contact avec leur grande puissance intérieure. Elles manquent de foi.

Les problèmes de **PIEDS** et de **CHEVILLES** sont reliés à la peur de l'avenir et à la peur de faire face à ses responsabilités. Il peut s'agir du fait de vouloir aller trop vite et de ne pas savoir où donner de la tête. Un remède ? Aime la vie et accepte ce qu'elle met sous tes pas. De cette manière, ton avenir te semblera plus rose.

Une **ENTORSE** ou **FOULURE** indique de la colère et de la résistance à se diriger dans une certaine direction si c'est le pied qui en est affecté. S'il s'agit de la main, c'est plutôt une résistance à faire quelque chose de nouveau. La personne, ainsi affectée, se sent coupable et veut se punir de sa résistance. Son corps lui dit: "Accepte que tu as certaines peurs présentement mais fais confiance à la vie ! Prends le temps nécessaire mais commence dès maintenant à te mettre en action pour arriver à ton but."

Le mal au **TALON** se manifeste souvent chez une personne qui se sent incomprise et qui vit de l'incertitude face à une situation future. Le message que cela transmet est: "Avant de te sentir incomprise des autres, commence donc par aller vérifier auprès d'elles ! Tu verras que tout vient de ta pensée. De toute façon, tu n'as pas besoin d'être comprise pour avancer. Allez, vas-y !"

Une **VERRUE PLANTAIRE** peut se retrouver chez une personne qui ne fait pas assez confiance en la vie et qui sent de la frustration face à son avenir. Elle vit aussi de la colère dans sa façon de comprendre la vie. Ceci lui dit de faire face à l'avenir avec confiance et aisance, et de cesser de se donner autant de mal.

Les **CORS AUX PIEDS** ou **DURILLONS** sont causés par un excès d'appréhension dans notre façon d'aller de l'avant. Il y a là une attitude qui aurait intérêt à être modifiée. L'élan vers l'avenir est soit trop fort ou pas assez, les tâches semblant trop difficiles dans les deux cas pour être exécutées avec naturel.

Les problèmes **D'ORTEILS** se retrouvent chez les gens qui s'en font pour les petits détails de l'avenir. Ils devraient mettre leur énergie présente à des choses plus importantes.

Un **MAL DE JAMBE** indique une peur de l'avenir, une peur d'aller de l'avant. Le message du corps est d'agir, d'avancer dans la vie avec plus de confiance et de joie, en sachant que tout ira pour le mieux. Le fait de rester sur place présentement n'est pas bénéfique.

Un **ONGLE INCARNÉ** est dû à de l'inquiétude ou à de la culpabilité face au libre choix d'aller dans telle ou telle direction.

Les **PIEDS D'ATHLÈTE** se manifestent ordinairement chez une personne frustrée de ne pas se sentir acceptée. Ceci l'empêche d'avoir la confiance en soi nécessaire à un cheminement plus aisé. Cette frustration lui rend les tâches plus ardues. Son corps lui livre le message suivant : "Vois toutes tes belles qualités ! La vie n'a pas à être aussi difficile ! Accepte-toi : c'est tout ce qui compte !"

Les **VARICES AUX JAMBES** indiquent que tu te trouves présentement à un endroit où tu accomplis quelque chose que tu n'aimes pas. Il est important d'apprendre à aimer ce que tu fais ou d'aller vers un autre travail qui t'attire davantage. Le sang représente la joie dans notre vie. Quand les veines ont perdu la possibilité de transporter le sang dans tes jambes, c'est le signe d'un manque de joie. Tu es probablement trop dans la mentalité du "il faut". Voilà donc un message qui t'invite à te payer des douceurs, à ne pas toujours faire passer le travail avant le plaisir.

Les **GENOUX** correspondent à la partie flexible de la jambe et les personnes qui ont des problèmes de genoux sont des gens qui désirent aller de l'avant mais qui ne veulent pas changer de manière d'être. Leurs vieilles croyances les empêchent d'avancer et elles deviennent trop inflexibles, trop orgueilleuses, trop entêtées surtout en ce qui concerne leur avenir ou celui des autres. Elles veulent souvent fuir leurs responsabilités au lieu de les assumer. C'est pourquoi le genou a généralement tant de difficulté à guérir car ces personnes ont beaucoup de mal à modifier leur façon d'être. Le genou est fait pour plier, pour s'agenouiller. Si tu as un problème de genou, c'est que tu as beaucoup de difficulté à plier devant les autres. Le corps te dit par là qu'il te serait très bénéfique de laisser quelqu'un d'autre avoir raison et te montrer le chemin parfois. Il te dit aussi que tu as tout ce qu'il faut pour faire face à tes responsabilités. Un problème de genou peut aussi indiquer une peur de devenir plus tard comme l'un des parents (ex : peur de devenir alcoolique comme la mère, incestueux comme le père, etc.). Le message que le genou donne alors est d'apprendre à aimer le parent en cause au lieu de le juger.

Les problèmes aux **CUISSES** ou aux **FESSES** affectent celles qui s'empêchent d'aller de l'avant à cause de problèmes du passé. Ces personnes vivent beaucoup dans le passé envers lequel elles gardent du ressentiment et de la colère.

La personne affectée de **CELLULITE SUR LES CUISSES** se retient aussi d'aller de l'avant à cause de ressentiments liés à sa jeunesse. Elle peut être restée accrochée à des traumatismes d'enfance, ce qui l'empêche de progresser en faisant usage de sa créativité.

Les problèmes au **COCCYX** représentent une trop grande dépendance envers quelqu'un d'autre. Les personnes qui en sont affectées croient que, seules, elles ne seront pas capables d'accomplir quelque chose. En réalité, c'est tout le contraire car les personnes dont elles voudraient dépendre sont souvent dépendantes d'elles. Elles ne voient pas qu'elles sont plus fortes que celles dont elles voudraient dépendre. La personne dépendante s'asseoit trop sur son derrière en attendant après les autres. Elle a intérêt à s'asseoir moins et à agir par elle-même.

Les **HÉMORROÏDES** sont causées par une impression de tension, de pression, de fardeau dans la vie présente. La personne qui en souffre se sent surchargée et se sent coupable de se sentir ainsi. Elle continue de porter son fardeau car son orgueil et sa peur l'empêchent de lâcher prise et de demander de l'aide. Au lieu de nourrir la peur de ne pas toujours être capable de porter ce fardeau, elle aurait intérêt à avouer ne pas être capable de s'en sortir toute seule et à demander qu'on lui vienne en aide pour aller de l'avant.

La **PHLÉBITE,** qui est l'inflammation d'une veine et qui affecte généralement les membres inférieurs, est provoquée par de la colère et de la frustration, par le manque de joie de vivre. La personne atteinte de ce problème a tendance à blâmer les autres de ce dont elle manque et qui l'empêche d'aller de l'avant. Elle a crée ses propres limites mais préfère blâmer les autres pour son manque de joie au lieu d'accepter sa responsabilité.

Les **DÉMANGEAISONS À L'ANUS** sont le signe de culpabilités, de remords face au passé. Le message que le corps donne par ce moyen est celui-ci: "Il ne t'est pas bénéfique de te sentir coupable de ne pas avoir satisfait tous tes désirs." Quant aux **DOULEURS DE L'ANUS**, elles représentent aussi des culpabilités. Elles manifestent ton désir de te punir car tu ne te crois pas assez bonne pour réaliser quelque chose. Souvent, elles sont aussi liées à un événement passé. Un **ABCÈS À L'ANUS** représente de la colère envers soi-même en relation avec ce qu'on ne veut pas laisser aller. Le corps dit de ne pas s'inquiéter et que l'on peut s'abandonner et faire confiance à la vie et à ceux qui nous entourent. Un **SAIGNEMENT À L'ANUS** a une signification semblable à l'abcès mais en plus, il y a une perte de joie de vivre reliée à cette colère et frustration.

Les problèmes aux **GLANDES SURRÉNALES** indiquent une personne qui a une attitude défaitiste, qui ne veut plus s'intéresser à rien, ni à elle-même. Elle en vient à vivre beaucoup d'anxiété n'ayant pas de but motivant dans sa vie. Son corps lui dit d'arrêter d'attendre que ça vienne des autres, qu'il est temps qu'elle se fixe un but, si minime soit-il.

La **MALADIE d'ADDISON**. Celle-ci maladie est causée par un problème des glandes surrénales. Le message en est semblable à celui des problèmes reliés aux glandes surrénales mais l'intensité plus marquée de cette maladie indique une plus grande urgence à se prendre en main.

Voilà donc la signification métaphysique des maladies et malaises les plus courants liés à la **région de base**.

DEUXIÈME REGION : LA RÉGION DU VENTRE.

Cette région comprend la base du corps qui s'étend, dans le dos, le long des cinq vertèbres du sacrum et qui, à l'avant, part du bas ventre pour monter jusqu'au nombril. Comme tu sais, c'est dans cette partie du corps que se situent, entre autres, les **reins**, la **vessie**, **les intestins**, les **organes génitaux**.

Cette région en est une où il y a une grande activité énergétique car c'est elle qui gère l'**énergie sexuelle**, l'**énergie de créativité**. C'est l'endroit du corps où se situe le grand pouvoir de créer notre propre vie. Cette région est activée quand nous sommes à la recherche de sensations. Il est bon de garder en mémoire que plus une personne est attirée seulement par les plaisirs des sens, les plaisirs de la terre, moins elle va en direction du but réel de la vie. Ce but est d'aller plutôt vers l'éveil de la conscience, l'éveil de la sagesse, de l'amour, l'éveil à **DIEU**. Les sens doivent être utilisés pour sentir **DIEU** partout et non pas seulement pour se procurer des sensations physiques dans la nourriture, la boisson, le sexe, etc.

La personne qui a des problèmes dans cette région est celle qui, au lieu de créer sa propre vie, veut créer la vie des autres. Cette personne a peur de ne pas avoir assez de pouvoir et craint que les autres prennent le pouvoir sur elle, ou elle laisse tout simplement les autres avoir le pouvoir sur elle. Elle se sent donc très impuissante face à quelqu'un ou face à une situation. Alors tout cela crée évidemment de la peur, qui, comme tu peux le constater, affecte autant cette région que la première. Par ailleurs, ces problèmes sont aussi fréquents chez ceux qui recherchent trop à se procurer des sensations venant de l'extérieur. Ceux qui ont des culpabilités sexuelles sont aussi affectés dans cette région.

Les problèmes de **BAS DU DOS** sont ceux d'une personne qui, justement s'en fait trop pour sa vie matérielle: elle s'inquiète inutilement au sujet de son travail, de ses biens, de son argent, enfin, de tout ce qui la relie à l'aspect matériel, au monde physique de la terre. Cette attitude provoque souvent une tristesse réprimée, un manque de joie. La partie du dos qu'on appelle le sacrum et qui est située à la base de la colonne vertébrale est une partie très importante pour notre appui, notre soutien. La personne qui a besoin de nombreux biens matériels pour se sentir soutenue dans la vie s'attire beaucoup de problèmes dans cette région de sa colonne vertébrale. Les biens matériels doivent être utilisés en vue de nous rapprocher de **DIEU** et non pas pour qu'on se sente soutenus. Ton soutien, c'est toi-même ! Tu as reçu tous les pouvoirs au monde pour créer ta vie, quoi qu'il arrive! Quand une personne se sent non soutenue, c'est, la plupart du temps, parce qu'elle est insoutenable. Il s'agit là d'une personne qui désire que les autres fassent toujours ce qu'elle veut, quand elle le veut, comme elle le veut. Et, après un certain temps, les gens n'ont plus le goût de soutenir une personne aussi inflexible. Si tu as besoin de soutien dans ta vie, il est important d'accepter que les autres te soutiennent à leur manière. Si tu n'acceptes pas que cela soit fait autrement qu'à ta façon, fais-le toi-même ! De toute façon, tu peux arriver à faire tout par toi-même en développant une attitude plus positive et moins dépendante envers les autres. Les problèmes de bas du dos révèlent aussi une personne qui accuse souvent les autres de ses propres difficultés. Ces problèmes peuvent encore se retrouver chez une personne qui détermine sa valeur humaine à partir de ses possessions matérielles, au lieu de s'accepter comme un être spirituel qui a la capacité de créer sa vie et qui existe pour aimer de manière inconditionnelle.

Un problème aux **HANCHES** signifie qu'il y a une peur d'aller de l'avant lorsqu'il y a des décisions majeures à prendre. C'est la peur d'avancer et de n'aboutir à rien. Tu sais, les hanches amorcent le mouvement de la jambe : il s'agit donc d'une partie essentielle pour la démarche. Ce sont elles qui nous aident vraiment à avancer librement. Voilà donc un important message quand les hanches font mal. Le corps dit alors de ne pas avoir peur, d'y aller avec confiance, d'être plus flexible dans l'exécution de décisions concernant le futur.

Les **INTESTINS** servent à nettoyer l'organisme, à le débarrasser de ses toxines, de ses déchets. Tant qu'on veut tout retenir pour soi, tant qu'on est possessive, jalouse, égoïste, il s'accumule des déchets à l'intérieur du corps. Il serait essentiel de lâcher prise. Les problèmes d'intestin qui en découlent sont multiples.

D'abord, la **CONSTIPATION**, qui est un très gros problème chez les gens en général. On dit qu'en pharmacie, les laxatifs atteignent des records de vente. La personne qui souffre de constipation refuse de se défaire de ses vieilles idées, elle ne veut pas lâcher prise. En les retenant, elle ne fait pas place aux nouvelles. On peut retrouver aussi ce problème chez une personne mesquine, qui retient toutes ses possessions matérielles, qui a beaucoup de difficulté à se départir de ses biens. Elle veut toujours en acquérir davantage tout en continuant à garder tout ce qu'elle a reçu dans le passé. Par ce problème, le corps dit qu'il n'est pas nécessaire de tant s'accrocher, que la vie est beaucoup plus excitante si on accepte du nouveau et si on lui fait généralement confiance.

La **DIARRHÉE** est un signe de peur. Une personne qui a des idées noires, qui est désespérée, sera sujette à ce problème intestinal. Il s'agit souvent d'une personne qui s'en veut, qui s'en prend à elle-même, qui se voit petite par rapport aux tâches à remplir. Elle est très sensible, se rejette énormément, rejette ses aliments et rejette aussi sa nourriture divine. Une personne qui, de plus, a peur d'être rejetée. Son corps lui dit avec force que personne ne l'abandonne, que c'est seulement dans ses pensées que cette idée-là existe et que son imagination prend le dessus sur la réalité.

Les **GAZ INTESTINAUX** manifestent aussi de la peur. On dit que la peur fait avaler de l'air en mangeant et qu'elle donne ainsi des gaz.

L'**ILÉITE** ou **MALADIE DE CROHN** est une maladie chronique de l'intestin. On doit donc s'en référer aux messages livrés par les irrégularités de l'intestin (voir intestin page 171). La personne qui souffre de l'iléite vit beaucoup de peurs. Parmi ces peurs, c'est celle du rejet qui domine. Elle s'inquiète aussi à propos de tout et de rien. Elle est portée à ne pas se sentir à la hauteur des situations. Elle se perçoit comme "pas assez bonne."

Le **TÉNIA** ou **VER SOLITAIRE** se développe chez une personne qui se croit victime et qui ne se sent pas propre à l'intérieur d'elle-même. Il s'agit d'une personne qui a du mal à s'aimer et à voir sa beauté intérieure. Elle a grand intérêt à s'identifier à son moi christique et à faire davantage confiance à son entourage.

Les **VERS INTESTINAUX** apparaissent souvent chez des gens qui avalent des idées contraires aux leurs, des idées qui ne vont pas du tout avec leur plan de vie et qui leur enlèvent la joie de vivre. Si tu reçois ce message de ton corps, il est important de n'accepter que les idées qui te sont bénéfiques, qui sont en accord avec tes valeurs. Il serait sage aussi de cultiver la joie de vivre.

La **COLITE** (inflammation du côlon) est associée à une personne qui se sent toujours défaite et opprimée. Cette personne, qui a souvent eu des parents trop exigeants et qui a manqué d'affection, doit apprendre à aimer ses parents tels qu'ils sont et arrêter de dépendre de l'amour des autres pour son bonheur.

Les **ADHÉRENCES** sont reliées à des culpabilités accumulées, à une façon de penser non bénéfique pour soi et à laquelle on s'accroche. Il se développe des tissus fibreux qui s'accumulent et durcissent en adhérant aux **intestins**, aux **organes génitaux**. Ton corps te dit de cesser d'accumuler et de cesser de te durcir en te faisant accroire que tout va bien et que tu ne te sens pas coupable. Accepte que tu as fait au meilleur de ta connaissance.

L'**APPENDICITE** est encore un autre effet de la peur. La personne qui en est affectée manque de joie de vivre. Elle éprouve de la lassitude et de l'insécurité. C'est une personne qui se retient et qui est souvent beaucoup trop sensible. Elle croit aussi qu'il n'y a pas d'issue dans sa vie présente.

Les **REINS** constituent un moyen majeur pour le corps de se débarrasser de ses poisons, de ses toxines, de ses déchets. C'est pourquoi la **RETENTION D'EAU** ou l'**ENFLURE** est généralement causée par un mauvaise fonctionnement des reins. Alors, quand il y a un problème de reins, c'est dû au fait que la personne n'exprime pas ouvertement ce qu'elle ressent. Même si elle pense que cela peut blesser les autres, elle ne doit pas se retenir, mais plutôt exprimer ce qu'elle vit intérieurement. Ces problèmes sont présents chez des gens qui sont trop autoritaires, qui veulent décider pour tout le monde. Ils peuvent aussi exister chez des gens qui, tout au contraire, n'arrivent pas à décider quoi que ce soit dans leur vie, ou chez des gens qui ont des complexes d'infériorité. Ce sont souvent des personnes qui ont décidé qu'elles ne pouvaient pas avoir de succès, qui manquent d'autorité, qui ont très peur et qui se sentent impuissantes. Quand on dit d'une personne qu'elle a les reins solides, on parle de quelqu'un qui est capable de s'assumer dans la vie et de faire face à tous les problèmes. Celles qui ont des problèmes de reins sont des personnes qui ont souvent senti qu'il y avait beaucoup d'injustice dans leur vie et qui, conséquemment, se sentent impuissantes. Elles ont décidé soit que la vie était injuste soit que leurs parents avaient manqué de justice envers elles. Cela les amène à beaucoup de critique. Si tu es aux prises avec ce problème, il t'est très important de prendre conscience que tu as le grand pouvoir de décider de ta vie. Réalise aussi que tous ces sentiments d'impuissance, ces sentiments d'être trop ou pas assez autoritaire viennent de décisions prises antérieurement, décisions qui ne te sont pas nécessairement bénéfiques.

Les **PIERRES AUX REINS** démontrent une longue accumulation de ce qui est mentionné ci-haut. La personne tente de s'endurcir, en vain, en refoulant ses émotions.

Une **NÉPHRITE** est une maladie inflammatoire qui se retrouve chez quelqu'un qui réagit beaucoup trop au désappointement et à l'échec. Il n'y a que des expériences au moyen desquelles on peut apprendre quelque chose continuellement. Il n'est pas bénéfique de regretter ces expériences et d'en avoir du remords.

Le **MAL DE BRIGHT** est une autre grave maladie des reins. Sa cause profonde est la même que celle des maladies du rein en général, mais cette cause est encore plus prononcée. La personne qui en souffre se considère comme un échec total.

L'INCONTINENCE D'URINE, qui est très fréquente chez les enfants, est souvent le signe que l'enfant se sent impuissant devant ses parents, qu'il a peur de l'autorité, peur d'être puni. En général, c'est surtout de la crainte du père qu'il s'agit. Il aime tellement ce parent qu'il craint le moindre reproche de sa part. C'est un enfant qui a grand besoin de se faire dire : "Je t'aime !"et de sentir qu'on lui fait très confiance. Chez l'adulte, ce même problème vient d'une situation qu'il vit avec quelqu'un qui lui rapelle ce qu'il vivait avec un parent.

Une **INFECTION URINAIRE** se manifeste chez une personne qui blâme beaucoup les autres et très souvent son conjoint. Une personne qui a "son voyage". Il est temps que cette personne accepte la responsabilité de ce qui lui arrive en sachant que nous récoltons toujours ce que nous semons. Si elle n'aime pas le résultat, il n'y a qu'à changer de comportement.

Le **MAL DE VENTRE** en général indique toujours une

peur, surtout une peur de perdre quelqu'un ou quelque chose.

La **PÉRITONITE** est un message de grande colère refoulée chez quelqu'un qui est très rigide, inflexible et qui veut tout contrôler. La douleur de cette maladie qui est comme un "coup de poignard" représente le degré de culpabilité chez cette personne qui s'en veut énormément. En général le tout est inconscient. Voilà pourquoi le corps doit parler si fort pour ramener cette personne dans l'amour d'elle-même et de ceux qui l'entourent. Un amour plus tolérant, plus flexible.

Les problèmes de **VESSIE** comportent des messages semblables à ceux des reins. Ces problèmes indiquent souvent des personnes qui sont très anxieuses, qui s'agrippent à leurs vieilles idées.

Les problèmes des **ORGANES GÉNITAUX** sont généralement reliés aux culpabilités sexuelles. Il y a une forte tendance égoïste à l'heure actuelle en ce qui a trait au sexe. Les gens ont pris l'habitude de faire l'amour pour des gratifications personnelles ou pour se faire aimer plutôt que par amour. Les personnes qui se servent du sexe seulement pour le plaisir physique savent, au plus profond d'elles-mêmes, que ce n'est pas cette motivation-là qu'elles doivent utiliser. C'est pourquoi elles vivent des culpabilités sexuelles. Ces problèmes sont fréquents aussi chez les personnes qui n'acceptent pas leur sexe: un garçon qui aurait voulu être une fille, ou vice versa. Cette décision peut venir de l'éducation, ou même de l'état foetal, si les parents désiraient un enfant de l'autre sexe.

Les femmes qui utilisent le sexe comme moyen de marchandage, comme moyen de possession ou pour exercer le pouvoir sur leur conjoint connaissent souvent des problèmes de **VAGINITE**. Elles se font arriver cette maladie de manière à avoir une excuse pour ne pas faire l'amour pendant un certain temps ou pour punir le conjoint en le privant de sexe. Voilà un exemple d'utilisation du sexe pour des motifs égoïstes.

La **LEUCORRHÉE** est une maladie vaginale qui se retrouve chez celles qui croient ne pas avoir de pouvoir sur les hommes, ou encore chez celles qui vivent de la colère envers leur conjoint.

Les problèmes d'**OVAIRES** ou d'**UTÉRUS** concernent celles qui n'utilisent pas assez leur créativité pour exercer leur pouvoir sur leur propre vie ou pour prendre contact avec le pouvoir de créer dans d'autres domaines.

Les problèmes de **MENSTRUATIONS** sont la conséquence du rejet de sa féminité. Il peut s'agir d'une personne qui aurait préféré être un homme. Il peut s'agir aussi de celle qui refuse son principe féminin, qui tente de démontrer qu'elle est "la femme bionique" en exprimant surtout son principe masculin. La personne aux prises avec des problèmes de menstruations peut aussi croire que le sexe est "péché", "mal", "animal". Elle peut encore refuser de se laisser aller à vivre sa sexualité. Il y a de la culpabilité et de la peur dans ces problèmes. Cette femme doit accepter que tout ce qui se passe dans son corps, ses désirs sexuels, sa féminité, sa sexualité, est parfaitement naturel et normal.

Une **FAUSSE COUCHE** signifie simplement qu'il y a

une peur inconsciente de l'avenir et que la mère ne se sent pas prête pour la venue de l'enfant. Cela peut aussi avoir été provoqué par l'âme du bébé qui a changé d'idée dans son choix des parents ou dans son choix du moment pour revenir sur la terre.

Les problèmes de **MÉNOPAUSE** expriment la peur de vieillir, de ne plus être désirée. Ils viennent de la croyance qu'avec l'âge la femme sera diminuée ou deviendra inutile. Celle-ci a besoin d'accepter qu'elle va plutôt accéder à une plus grande sagesse et qu'avec son expérience de vie, elle pourra se faire arriver beaucoup de belles choses. Ce n'est pas l'âge qui fait la différence, mais bien ce qu'on fait de chaque phase de sa vie.

L'HERPÈS VAGINAL provient aussi de culpabilités sexuelles. Il exprime le désir inconscient de se punir ou de se faire punir. La personne qui en souffre a honte. Elle croit en un **DIEU** qui punit et elle rejette momentanément ses parties génitales.

Le **SIDA** est la grande maladie qui démontre une culpabilité sexuelle profonde. La négation de soi peut aller jusqu'à la conviction de ne pas mériter la vie. Les personnes atteintes de ce mal ne se croyaient pas assez bonnes, se pensaient sales et ont compensé par des gratifications sexuelles.

Les **MALADIES VÉNÉRIENNES** en général, autant chez les hommnes que chez les femmes, ont la même signification que celle de l'herpès vaginal.

La **STÉRILITÉ** peut provenir d'une peur, d'une résistance à l'idée de créer une autre vie. Elle peut aussi signifier qu'on n'a pas besoin de vivre une expérience de parent. Dans un cas de stérilité, il est préférable de faire confiance à la vie et de s'en remettre à son **DIEU** intérieur afin de découvrir s'il est bénéfique ou non de créer un enfant. Avant tout, il est important d'apprendre à s'aimer et à s'accepter comme on est.

Les **FRUSTRATIONS D'ORIGINE SEXUELLE** correspondent à une éducation très sévère au sujet du sexe. Celles et ceux qui les connaissent croient profondément que les organes génitaux sont synonymes de péché, de saleté.

L'IMPUISSANCE SEXUELLE chez l'homme est le signe d'une trop grande tension et d'un sentiment de culpabilité. Ceci peut résulter d'une rancune contre une partenaire précédente. Cette trop grande pression sexuelle peut provenir d'une peur inconsciente de sa mère qu'il sent toujours présente. Il craint de lui déplaire et c'est le signe d'un très fort complexe d'Oedipe qui n'a pas été résorbé.

Les problèmes de **PROSTATE** se retrouvent souvent chez celui qui, en se voyant vieillir, a peur et se sent coupable de ne plus avoir la même énergie sexuelle. Il pense qu'ainsi il est moins homme, moins viril. Quand un homme situe sa valeur humaine au niveau de sa capacité de performer sexuellement, il est porté à vouloir faire des prouesses pour se prouver qu'il en est encore capable. Il a beaucoup de difficulté à accepter son vieillissement et sa baisse de libido. Le message que son corps tente de lui faire passer est qu'il place sa valeur au mauvais endroit.

Un problème aux **TESTICULES** indique un manque

d'acceptation de sa masculinité ou de son principe masculin. (relire p.157)

Le message de **l'ENDOMÉTRIOSE** est comme celui des problèmes de menstruation mais d'une façon encore plus marquée. Les maladies qui se terminent en "ose" sont de source plus profonde, qui viennent du très jeune âge.

Les deux premières régions du corps sont reliées au plan physique.

TROISIÈME RÉGION : LA RÉGION DU PLEXUS SOLAIRE

Cette région se situe à partir du nombril et monte environ jusque sous les seins. Elle comprend, dans le dos, l'espace couvert par les **cinq vertèbres lombaires**. C'est dans cette région qu'on retrouve le foie, l'estomac, la rate, le pancréas et le duodénum. Donc, la plus grande partie du système digestif y est localisée.

C'est dans la région du plexus solaire que nous ressentons ce qui se passe dans notre vie émotionnelle et affective. C'est le centre des émotions, des désirs et de l'intellect. Quand une personne a des problèmes dans cette partie de son corps, c'est le signe que ses désirs sont trop tournés vers la recherche de gratifications physiques plutôt que vers l'amélioration de son être. Elle vit des émotions de haine, de rancune, d'envie, de possession venant du fait qu'elle a constamment des attentes, qu'elle veut être aimée au lieu d'aimer les autres. Des problèmes liés à cette région se retrouvent souvent aussi chez celles qui se sentent attaquées, qui ressentent le besoin de se défendre et qui vivent de la colère réprimée. Cette colère provient souvent d'un manque d'affirmation de ses désirs.

Cette région du corps sera aussi affectée chez les personnes qui utilisent leur intellect d'une façon égoïste, c'est-à- dire pour faire leurs propres affaires au lieu d'aimer les autres et de les accepter comme ils sont. Plus on analyse, rationalise et veut tout comprendre à sa façon, plus on s'ouvre à vivre des émotions. Quand on accepte les autres comme ils sont, on ne vit pas de telles émotions. L'intellect de l'être humain doit servir à l'acquisition de nouvelles connaissances, à la compréhension de nouvelles données.

Il lui a été donné pour développer la conscience de son être réel et pour s'améliorer sans relâche. L'intellect ne doit jamais être utilisé pour tenter de transformer les autres à l'image de ce que nous pensons qui serait bien pour eux.

Généralement, les gens qui ont mal au **MILIEU DU DOS (LOMBAGO)** - dans la région des cinq vertèbres lombaires - sont des personnes qui se sentent vraiment impuissantes face à une situation de leur vie présente. Elles auraient le goût de "brasser" ou d'envoyer promener quelqu'un ! Elles expérimentent beaucoup d'amertume et se sentent vraiment désespérées et impuissantes à cause de cela. Elles se sentent aussi amoindries à l'idée d'avoir à demander de l'aide. Voilà le signal que le corps donne à cette personne qui vit un excès d'émotions liées à son sentiment d'impuissance : elle doit se brancher à la source d'énergie créatrice qui l'aidera à définir clairement ce qu'elle veut, à le visualiser, à le sentir dans tout son être et à poser des gestes en conséquence. Si elle a besoin d'aide, elle doit faire ses demandes clairement plutôt que de s'attendre à ce que l'autre fasse de la télépathie et devine son besoin.

Le **NERF SCIATIQUE** est le plus long nerf du corps humain. Il commence dans la partie lombaire de la colonne vertébrale, traverse la fesse, la cuisse et la jambe, pour aboutir au pied. Une névralgie dans le nerf sciatique indique une peur de manquer d'argent et une insécurité face à l'avenir. Pour connaître ton degré de possession et de dépendance face à l'argent, pose-toi la question suivante : "Si je perdais mon travail ou chaque sou que je possède aujourd'hui, quelle serait ma réaction ?"

Ce mal arrive souvent chez des personnes qui se font accroire que l'argent ou les biens ne sont pas si importants.

Le message est très précis : il est grand temps de découvrir que ta vraie sécurité est un sentiment intérieur plutôt que de croire qu'elle se mesure par la valeur de tes possessions.

Un **DISQUE DÉPLACÉ** se manifeste chez une personne qui ne se sent pas assez supportée par la vie. A cause de cette illusion, elle garde en elle une certaine incertitude quant à la validité de ses décisions. Elle aurait grand intérêt à s'approuver, à se faire confiance davantage et à croire fermement que le soutien nécessaire arrivera en temps et lieu.

Une **SCOLIOSE** se manifeste chez une personne qui a l'impression de porter tous les problèmes de la vie. Elle se sent impuissante et sans espoir. Le message que son corps lui donne est de prendre la vie un jour à la fois et d'y créer beaucoup de joie en se sentant très grande, capable et libre.

Les problèmes du **FOIE** se manifestent chez des gens qui ont beaucoup de difficulté à accepter les autres, les gens qui sont souvent mécontents, qui critiquent et jugent leurs semblables. De ce fait même, ces personnes se créent beaucoup de colère car elles savent inconsciemment que ce qu'elles critiquent chez les autres est la partie d'elles-mêmes qu'elles n'acceptent pas. Et, quand une colère s'est accumulée, c'est la crise de foie ! Les problèmes du foie se retrouvent aussi chez les gens qui sont tristes, irritables, envieux ou jaloux des autres, ce qui leur enlève beaucoup la joie de vivre. Parmi tous ces problèmes se cache souvent un refus de faire des efforts, une non-acceptation de la nécessité d'évoluer ou une absence de désir d'aller plus loin aller plus loin dans son évolution personnelle.

Le message que tous ces problèmes du foie te donnent est en général celui-ci : arrête de faire autant de pirouettes pour être aimée, aime-toi en t'acceptant telle que tu es. Affirme tes désirs et cesse d'avoir besoin de l'approbation de tes proches pour te sentir heureuse.

Les **PIERRES AU FOIE** ou **CALCULS BILIAIRES** se rencontrent souvent chez des personnes très décidées, combatives, désireuses d'aller de l'avant, mais qui se laissent freiner par quelqu'un de leur entourage. Cela les amène à entretenir des pensées de mécontentement et d'agressivité. Elles osent agir, mais dans la peur. Il peut aussi s'agir d'une personne qui ne parvient pas à se décider, à aller de l'avant ou qui manque de courage. Il est fréquent que des pensées dures soient entretenues par les gens qui ont des calculs biliaires.

L'HÉPATITE se rencontre chez des gens qui se font de la bile à propos de tout et de rien et qui en viennent à connaître beaucoup de colère et de rancune.

La **JAUNISSE**, qui est la maladie de quelqu'un qui "ravale sa bile", est aussi liée à de la colère, à du refoulement et à de la déception.

Les problèmes d'**ESTOMAC**, pour leur part, sont caractéristiques de personnes incapables d'accepter ou d'assimiler de nouvelles idées, de personnes qui ont de la difficulté à accepter qu'il existe parfois des contrariétés et des inquiétudes. Ces incidents doivent être acceptés afin d'être mieux intégrés à notre expérience de vie.

Une **GASTRITE** comporte le même message que les

problèmes d'estomac, mais il y a en plus de la colère qui vient d'une incertitude trop prolongée.

Quand tu as un **PROBLÈME DE DIGESTION**, un problème d'estomac, demande-toi ceci : "Que se passe-t-il, présentement, dans ma vie que je ne peux pas digérer, accepter ?" ou encore : "Quelle est la personne que je n'arrive pas à digérer, à l'heure actuelle ?" Le message que ces malaises veulent te communiquer est qu'il importe d'apprendre à aimer davantage. Les personnes qui pensent que les autres ont tort et qui se sentent attaquées seront sujettes aux problèmes d'estomac. Elles doivent apprendre à accueillir les pensées et les désirs des autres sans se sentir menacées.

Une **INDIGESTION** provient de l'état pénible où tu te retrouves quand tu as un trop plein de quelque chose ou de quelqu'un et que tu te révoltes parce que tu n'en peux plus. Je te recommande fortement de t'exprimer à la personne impliquée avant d'en venir à ce débordement du trop-plein. Si c'est relié à une situation désagréable, il est grand temps de passer à l'action pour la régler.

Les **BRÛLEMENTS D'ESTOMAC** se manifestent quand quelque chose ou quelqu'un te brûle et que, par conséquent, tu vis beaucoup de colère ou d'impuissance. Le message à retenir alors est d'arrêter d'avoir peur d'affirmer tes besoins et tes désirs et d'accepter que les autres sont différents et ont des besoins différents.

Les **ULCÈRES À L'ESTOMAC** ou au **DUODÉNUM** indiquent à celle qui en souffre, qu'elle est dévorée, grugée à l'intérieur d'elle-même. Cette personne voit souvent les événements plus dramatiques qu'ils ne le sont réellement. Elle endure des contrariétés, du stress, des inquiétudes. Elle s'en fait beaucoup trop pour des riens. Elle a intérêt à discerner ce qui est important dans la vie. Ça arrive souvent chez une personne qui ne se sent pas assez bonne, qui se critique et se juge beaucoup. Il en découle de l'irritabilité à force de ne pas s'aimer, une perte de patience envers les autres et du ressentiment. Ce message du corps est le suivant : "Commence à te faire des compliments ! Vois toutes tes belles qualités et prends la vie avec un grain de sel !" Graduellement les émotions feront place à un grand sentiment de bien-être.

Un **EMPOISONNEMENT** qui vient de la nourriture indique une très grande contrariété envers quelqu'un d'autre. Il est l'expresssion de pensées empoisonnées. C'est la personne elle-même qui, par ses pensées, s'est fait arriver une nourriture empoisonnée. As-tu déjà eu connaissance qu'une seule personne sur quatre avait été empoisonnée alors que les quatre avaient pourtant mangé la même chose ? Tu en as maintenant l'explication.

Le **PANCRÉAS** est une glande importante pour la digestion. Grâce à l'insuline qu'il sécrète, il aide à stabiliser le taux de sucre dans le sang. Parmi les problèmes du **pancréas**, on note l'**HYPOGLYCÉMIE.** La personne hypoglycémique a de la difficulté à voir la joie dans sa vie, elle trouve que la vie n'est pas "sucrée" à son goût. Car le sucre symbolise la récompense, la tendresse, l'affection, les manifestations de l'amour. La société en général manque présentement de cet amour, de cette tendresse et de cette affection que tous désirent. La plupart attendent le bonheur de l'extérieur. Les gens se récompensent en mangeant plus de sucre. L'hypoglycémique est aussi une personne qui se défend mal dans la vie, qui connait beaucoup d'angoisse et qui ressent des excès d'hostilité envers son entourage quand ses attentes ne se manifestent pas. Son corps lui dit qu'il est grand temps qu'elle apprenne à digérer ce qui lui arrive, à accepter les événements de sa vie et à mieux s'adapter à tout ce qui lui arrive, qu'elle l'ait choisi consciement ou non. Il lui dit en outre de se complimenter, de se récompenser en écoutant plus souvent ses désirs, plutôt que de toujours faire plaisir aux autres en espérant être appréciée ou aimée davantage.

Le **DIABÈTE**, qui vient aussi d'un pancréas mal-en-point, est caractéristique du sentiment de manquer d'amour. On le retrouve chez quelqu'un qui a beaucoup de difficulté à recevoir et qui ne croit pas mériter de plaisir dans sa vie. Il y a une tristesse profonde, souvent inconsciente, chez le diabétique. En compensation, il aura de grands désirs de manger du sucre, des pâtes alimentaires, du pain ou toute autre nourriture qui produit du glucose dans son corps. En plus de croire à un manque affectif, le diabétique peut aussi croire qu'il a des limitations financières. Comme nous récoltons ce que nous semons, il devient alors très important pour lui de réaliser que, s'il manque d'affection, c'est le signe qu'il est grand temps d'en semer. S'il manque d'argent, il est grand temps de commencer à en donner. Et cela, SANS ATTENTES.

Le message d'une **PANCRÉATITE** est très similaire à celui du diabète et de l'hypoglycémie. Il n'y a qu'à y ajouter de la colère et de la frustration.

Le message que tu reçois des problèmes du pancréas est

d'arrêter de croire que tu as besoin d'un stimulant venant de l'extérieur pour être bien dans ta peau, dans ton être ou dans ta réputation. Prends contact avec tes désirs et tes besoins et va les chercher. Cela sera ton stimulant.

La **RATE** a pour fonction de produire l'hémoglobine, les pigments biliaires, les anticorps. Un problème de rate signifie que la joie ne circule pas bien dans ta vie. Pour connaître cette joie, tu dois accepter tes désirs et les exprimer au lieu de te sentir coupable de les avoir. Les gens qui ont ces problèmes se sentent déprimés facilement, exagèrent dans leur souci du détail et sont facilement obsédés par une même idée, ce qui leur enlève de la joie. Paradoxalement, ces gens vont souvent rire, comme si la vie n'était pour eux qu'un jeu alors qu'en réalité, elle est un drame !

La **MONONUCLÉOSE** se retrouve souvent chez quelqu'un qui se sent très coupable et qui se fait arriver cette maladie pour prendre congé et se donner des permissions supplémentaires. La signification de cette maladie a un lien direct avec celle des problèmes de rate car celle-ci augmente de volume. La mononucléose peut aussi se retrouver chez quelqu'un qui a le don de rabaisser, de déprécier la vie ou les gens et qui trouve toujours quelque chose à redire au sujet des autres, en critiquant constamment dans son for intérieur. Cette personne aurait grand intérêt à se voir à travers les autres et à développer l'amour de la vie.

QUATRIÈME RÉGION : LA RÉGION DU COEUR

La région du coeur comprend les **douze vertèbres dorsales** qui partent du milieu du dos et vont jusqu'à la nuque. Elle couvre la région qui va des seins à la base du cou. L'énergie du coeur doit être dirigée vers l'amour et la compassion et non pas vers la critique de soi-même ou des autres. Plus on se critique, plus on critique les autres, plus cette région du corps en sera affectée. L'énergie du coeur est aussi l'énergie du pardon de soi, du pardon aux autres.

Tous les problèmes du **COEUR** expriment le manque de joie. La personne qui en est affectée étouffe en elle le petit enfant. Elle croit beaucoup aux efforts et vit fréquemment du stress. C'est souvent une personne qui se sent frustrée, une personne qui éprouve le **besoin d'aimer quelqu'un pour être heureuse au lieu d'aimer simplement parce qu'elle est heureuse**. Ces problèmes comportent le message que la personne qui en est affectée va à l'encontre de ses besoins affectifs. Elle devrait davantage prendre la vie avec un grain de sel, y apporter beaucoup d'amour et de joie, se pardonner à elle-même et pardonner aux autres.

L'**ANGINE DE POITRINE** est une insuffisance du débit sanguin au coeur. Elle signifie, pour la personne qui en souffre, qu'elle prend trop à coeur ce qu'elle fait, et qu'elle n'y met pas assez de joie. Celle-ci s'arrête de circuler. Le message ? Ne pas tant prendre la vie au sérieux !

Quand une personne a des **PALPITATIONS**, c'est tout simplement son coeur qui lui réclame de l'attention. Il fait des bonds pour lui signaler qu'elle aurait avantage à prendre du temps pour s'occuper d'elle-même, et arrêter de croire qu'elle n'est pas assez importante. En bref, le message est clair: "Aime-toi davantage, fais-toi des compliments plutôt que des critiques".

L'**ARYTHMIE** est une irrégularité du rythme cardiaque. Le message est le même que celui des problèmes du coeur (voir page 195) avec pour nuance que l'attitude de cette personne est irrégulière.

Une **CRISE CARDIAQUE** est l'aboutissement d'une vie passée à mettre l'argent et/ou le pouvoir avant la joie du coeur. Le coeur crie : "Au secours ! Je ne veux plus de cette vie ! J'ai le goût d'aimer et d'être aimé !"

Avoir **MAL AU COEUR** ou avoir des **NAUSÉES** veut dire avoir "mal à la vie". Ce malaise se retrouve chez quelqu'un qui craint qu'une situation présente affecte sa vie future ou sa joie de vivre. Exemple : la femme enceinte.

L'**ARTÉRIOSCLÉROSE** est un durcissement progressif des artères qui se manifeste chez quelqu'un qui s'endurcit, qui résiste et qui est très tendu. Son corps lui dit de ne sentir que du bon et du bien autant en lui qu'autour de lui et de s'abandonner à la vie avec joie et flexibilité.

La personne qui a mal dans le **HAUT DU DOS** a généralement beaucoup trop d'attentes envers les autres, ce qui lui fait vivre de la colère. Elle aurait besoin de s'exprimer et de faire des demandes au lieu de refouler sa colère. Elle ne se sent pas capable de se soutenir elle-même du point de vue affectif ; elle croit que si les gens l'aimaient davantage, ils feraient ceci ou cela pour elle. Un exemple ? Prenons la mère de famille qui dit : "Je fais tout à la maison ! Je lave le linge, je fais le ménage, etc. En retour ils devraient faire ceci ou cela..." Elle se croit aussi responsable du bonheur de toute la famille et trouve cela lourd à supporter. Ou encore le mari qui dit: "Je travaille toute la semaine, je ne fume pas, je ne trompe pas ma femme! Je lui donne mon salaire toutes les semaines! En retour, elle devrait donc faire ceci ou cela..." Voilà ce que c'est que d'avoir des attentes pour se sentir soutenu dans sa vie affective. Avec ces messages, le corps nous dit que nous devons apprendre à aimer: s'aimer et aimer les autres. Il nous dit d'accepter que tout ce que nous faisons est toujours fait au meilleur de notre connaissance, que chacun fait toujours son possible et que nous n'avons pas à passer notre temps à critiquer ou à juger. Il dit aussi de faire nos demandes plus clairement et d'accepter de demander de l'aide au besoin.

Les épaules sont situées dans cette même région du corps. On a **MAL AUX ÉPAULES** quand on sent une grosse charge affective sur les épaules ou qu'on se croit responsable du bonheur des autres. En général, la personne qui a mal aux épaules, en plus du haut du dos, en est une qui prend sur ses épaules une charge qui ne lui appartient même pas! Elle se croit responsable de régler les problèmes qui concernent les autres alors qu'en réalité, elle doit leur donner davantage d'espace, elle doit déléguer ou encore les laisser s'occuper de leur propre bonheur. Le mal d'épaules est aussi souvent relié à de l'insécurité face à l'avenir qui est alors ressenti comme un fardeau. Vivre au présent permettra de venir à bout de ce mal.

On utilise ses bras pour travailler, pour embrasser d'autres personnes ou encore, pour embrasser une nouvelle situation. Alors, le **MAL DE BRAS** peut signifier que présentement, le travail que la personne fait n'est pas fait avec amour. Peut-être est-il temps de changer pour un travail plus motivant ou peut-être qu'elle aurait intérêt à voir les bons côtés de son travail actuel et à y investir plus d'amour, ce qui aurait comme résultat d'en faire une réussite. Il est possible ausi qu'il y ait présentement une situation nouvelle et difficile à accepter. Ton bras te dit tout simplement d'embrasser cette nouvelle situation avec amour et confiance. Le mal de bras peut aussi vouloir dire qu'on n'utilise pas assez ses bras pour embrasser les autres, pour les prendre dans ses bras. Un père, par exemple, aura parfois de la difficulté à prendre son fils dans ses bras, à lui témoigner physiquement de l'affection. Commencer à se servir de ses bras pour embrasser d'autres personnes aidera beaucoup à régler certains de ces problèmes. Le mal de bras se retrouve aussi chez quelqu'un qui doute de sa capacité d'accomplir quelque chose. Les bras tentent alors de livrer ce message: "Veux-tu arrêter de douter de tes capacités?" Si tu es affligée de ce problème, imagine que tu observes quelqu'un d'autre qui fait le même travail que celui que tu fais présentement. En te plaçant à l'extérieur de toi-même, comme observateur impartial, tu réaliseras que ce que tu fais, tu le fais très bien. Pour que toute la région du coeur soit en harmonie, on doit toujours s'admirer, et non pas se critiquer.

Une **BURSITE** est provoquée par de la colère réprimée. Qui veux-tu frapper? Demande-toi si tu n'avais plus ce bras, ça t'empêcherait de faire quoi? La réponse t'aidera à mieux comprendre la cause. Cette maladie est le plus souvent reliée au travail. Le corps te dit de t'adapter aux situations et aux collègues de travail, et d'y créer de la joie.

Les coudes sont la partie flexible du bras. Le **MAL AU COUDE** est souvent une indication du manque de flexibilité de quelqu'un dans sa manière de faire face à une nouvelle situation. Ce manque de flexibilité peut provenir de la peur de se retrouver coincée. Cette peur empêche la personne de se laisser aller, de s'abandonner et de bien orchestrer cette nouvelle situation.

On se sert de ses mains pour toucher, pour prendre, pour donner, pour recevoir, pour travailler. Alors, si tu as un problème aux **MAINS**, regarde ce que tu fais présentement. Y a-t-il de la joie dans l'activité de tes mains ? Comme tu peux constater, les bras et les mains sont le prolongement de la région du coeur. On doit donc toujours s'en servir pour manifester davantage d'amour, tant envers les autres qu'envers soi-même. Le côté gauche est celui du "recevoir". Reçois-tu avec amour, ou penses-tu que tu vas avoir à donner en retour ? Reçois-tu en te disant que l'autre s'attend à recevoir quelque chose en retour ? Tu dois recevoir et accueillir tout ce qui t'arrive comme quelque chose qui t'est dû, quelque chose auquel tu as droit. Tu as le droit de recevoir du bonheur. Le côté droit qui est celui du "donner", doit être utilisé de la même façon : sans attentes, avec ton coeur. C'est le coeur qui donne, mais il doit se servir des mains pour le faire. Quand tu donnes, fais-le sans attentes, sans rechercher de gratifications en retour. Fais-le parce que cela te réjouit de faire plaisir à l'autre personne. Les mains, pour être heureuses, ont besoin de toucher avec amour, de faire quelque chose d'agréable comme, par exemple, jouer d'un instrument de musique.

Un problème aux **DOIGTS**, un doigt abimé, écorché, des boutons ou des verrues sur les doigts, tout cela signifie que l'on s'en fait pour les détails du moment présent. Il y a une signification variable selon le doigt en cause. Un problème au **POUCE** est relié à un excès d'activité mentale, à de l'inquiétude. Le message ? Prendre les choses en riant et ne pas dramatiser. Un problème à l'**INDEX** indique de l'orgueil, de la peur. Comme on sait, une personne qui donne des ordres ou qui tente de faire comprendre son point de vue pointe souvent de l'index vers son interlocutrice. Quand c'est fait avec l'intention de changer l'autre personne, il en résulte souvent un mal à ce doigt. Cela camoufle souvent de la peur. Ce problème comporte le message suivant: "Arrête de chercher à avoir raison pour des détails aussi minimes !" Le **MAJEUR** est le doigt qui représente la colère et la sexualité. Des problèmes au majeur pourraient indiquer une colère reliée à ta vie sexuelle et que tu te fais du souci pour des riens. L'**ANNULAIRE** représente les unions et le chagrin. C'est à ce doigt qu'on passe la bague de fiançailles, c'est lui qui porte l'anneau conjugal. Si ce doigt souffre, s'il est mutilé, c'est une indication que tu vis du chagrin en rapport à une relation affective. Ce chagrin vient de détails à propos desquels il est inutile de tant t'en faire. Des problèmes à l'**AURICULAIRE** indiquent que tu vis présentement des émotions au niveau de la famille. C'est donc de ce côté-là que tu dois faire porter ta recherche. Ces émotions sont aussi causées par des banalités.

Les **ONGLES** reflètent ton énergie et le sentiment de protection que tu éprouves à l'égard des événements qui se passent dans ton entourage. En décrivant l'état de tes ongles, tu vas prendre conscience de l'état présent de ton énergie. Si tes **ongles se cassent**, c'est le signe d'une irrégularité de ton énergie qui connait des hauts et des bas. S'ils sont **mous**, cela représente la lassitude que tu connais intérieurement. Se **RONGER LES ONGLES** est l'indice d'un sentiment de frustration. Celui-ci provient la plupart du temps d'une rancune envers un parent, rancune qui remonte à l'enfance et qui a laissé l'impression qu'on ne peut pas vraiment vivre la vie qu'on aimerait. Quand la personne vit une situation qui lui fait revivre sa frustration de jeunesse, elle se ronge les ongles. Voilà un autre message à l'effet qu'il faut apporter de la joie, du plaisir et du bonheur à tout ce qu'on fait et qu'on n'a pas à se défendre de tout un chacun.

Les problèmes aux **SEINS** sont reliés à l'aspect maternel de l'être, peu importe son sexe. Ils sont reliés au fait d'être mère-poule (vous n'ignorez pas que beaucoup d'hommes sont très "mères-poules...") de vouloir surprotéger ceux qu'on aime, de ne pas les laisser agir à leur guise, de vouloir trop les diriger. Beaucoup d'enfants, en devenant adultes, deviennent la mère de leur mère. Ils ont l'impression qu'elle est comme un enfant et qu'ils ont le devoir de la protéger, de la diriger. On rencontre aussi beaucoup de femmes qui ont un comportement maternel envers leur mari : "Habille-toi mieux que ça !", "Ne mange pas tant !", "Tu bois trop !" On peut aussi devenir trop directive envers soi-même, comme si on devenait sa propre mère. Les seins durs et douloureux disent : "Avec qui es-tu si dure présentement ?" Ces problèmes sont un avertissement que le corps te donne afin de laisser de côté ton trop-plein de sollicitude maternelle, d'apprendre à t'aimer et de laisser les autres agir comme ils l'entendent, selon leur notion du bonheur.

La **POITRINE** est reliée à la famille. Une personne remplie d'un grand besoin d'affection et de tendresse a généralement le désir de se blottir contre la poitrine de quelqu'un. Il peut aussi s'agir de quelqu'un qui éprouve un grand besoin de donner mais qui se retient, de peur qu'on abuse. Le message quand il y a mal : "Ne sois pas méfiante ! Vas-y ! Donne ! Si tu as besoin de tendresse et d'affection, tu n'as qu'à en donner, et tu vas en recevoir. "

Les autres problèmes reliés au centre cardiaque, et plus spécialement à la région du coeur, sont les **PROBLÈMES CIRCULATOIRES**. Ces problèmes sont en rapport avec le sang, et celui-ci représente la joie dans la vie. Ton sang résume la totalité de ce que tu es, de ce que tu vis. Ton alimentation physique joue dans la formation de ton sang tout autant que ce qui se passe en toi sur les plans émotionnel et mental. Si tu vis beaucoup de tristesse, de peur, de colère ou de critique envers toi-même, cela affecte ton sang, l'anémie et le remplit de toxines. Quand ta circulation n'est pas adéquate, c'est que l'amour ne circule pas assez dans ta vie. Il se peut aussi qu'il n'y ait pas suffisamment de circulation dans l'aspect social de ta vie, que tu ne te permettes pas d'avoir une vie sociale qui t'apporte beaucoup de joie. Il est possible aussi que ce soit les idées qui ne circulent pas assez librement, toujours à cause du manque de joie qui te les fait bloquer.

Un problème de **CHOLESTÉROL** dans le sang indique un blocage de la joie. La personne qui en souffre ne croit pas mériter de joie et a de la difficulté à en accepter dans sa vie. Le message est très clair : laisse circuler plus librement la joie. Et un bon moyen d'y parvenir est d'être plus en contact avec les désirs de l'enfant qui est en toi.

Un des principaux problèmes circulatoires est la **THROMBOSE CORONAIRE** qui consiste en la coagulation du sang à l'intérieur d'une artère ou d'une veine. Ce problème est caractéristique d'une personne qui se sent seule, qui a peur, et qui croit qu'elle n'arrivera jamais à passer à travers ses difficultés. L'absence de joie est pratiquement totale et le sang (la vie !) a tendance à se solidifier, à cesser de circuler.

L'**HYPERTENSION** ou **HAUTE-PRESSION** provient d'un trouble émotionnel d'origine lointaine. En traînant trop longtemps les mêmes émotions, elles s'amplifient et la vie devient de plus en plus dramatique. Elle se retrouve souvent chez quelqu'un qui avale de la colère. Elle peut aussi se manifester chez quelqu'un qui est beaucoup trop centré dans son intellect, dans son imagination, qui raisonne beaucoup trop et qui se vide ainsi de son énergie en vivant trop d'émotions. Cela a pour effet de lui bouleverser le sang. Son corps lui dit de se calmer, de moins dramatiser.

L'**HYPOTENSION** ou **BASSE-PRESSION** est le contraire de l'hypertension. Elle se produit chez quelqu'un qui dit que c'en est trop, qui se sent défaite d'avance et qui veut tout arrêter en disant : "Ça ne donne rien, ça ne peut aller !" Cette personne fait rapidement baisser son énergie vitale car elle ne peut pas porter le poids des événements de sa vie. Elle a perdu courage et ne veut plus être responsable de quoi que ce soit. Par ailleurs, il se peut que la basse-pression, quand elle n'est pas trop accentuée, soit normale pour certaines personnes. Si ta pression est au-dessous de la normale mais que, toutefois, tu te sens en pleine forme, sans tendances dépressives ni désir d'abandonner, il est probable que ce soit une pression adéquate pour toi, puisqu'elle n'affecte pas ta qualité de vie.

Le **HOQUET** fréquent et durable est une expérience très désagréable pour qui doit le subir. Ce que la personne vit simultanément à l'intérieur d'elle-même est aussi très désagréable. Elle connaît de la révolte et se juge avec dureté. Il y a en elle un bruit qu'elle ne peut arrêter.Il représente son incapacité d'arrêter le mécanisme de sa pensée. Tout son système est alors perturbé. La solution à cela consiste à se calmer, à voir les événements d'une manière plus froide et à aller, si nécessaire, chercher de l'aide pour apprendre à mettre de l'ordre dans ses idées.

Une personne qui souffre d'**HYPERVENTILATION** est une personne qui résiste beaucoup au changement. Elle a peur du nouveau et ne fait pas confiance en ce qui se passe présentement. Son corps lui dit de respirer normalement et de s'abandonner au processus de la vie.

Les **PROBLÈMES RESPIRATOIRES :**
(ex: ASTHME, FIÈVRE DES FOINS, etc.) sont une indication que la personne affectée étouffe. Ce ne sont pas les autres qui l'étouffent. C'est plutôt elle-même qui se laisse étouffer par son impressionnabilité. Elle laisse les autres lui faire faire des choses qu'elle n'a pas envie de faire ou se laisse influencer à changer d'idée, ce qui lui donne l'impression d'étouffer. Pour se révolter face à cette situation, elle est prête à faire n'importe quoi, même étouffer. C'est pour elle un moyen de manipuler les autres. Si le malaise revient toujours à la même période comme dans le cas de la fièvre des foins, c'est que la cause profonde est toujours là et que la personne s'est conditionnée à la faire revenir de manière périodique. Il serait grand temps pour cette personne de prendre son espace et d'arrêter de faire toutes sortes de pirouettes pour se faire aimer des autres.

Elle doit vraiment apprendre à s'aimer d'abord et avant tout et à s'ouvrir à tout ce que la vie comporte de beau et de bon.

Les attaques d'**ASPHYXIE** sont presque toujours causées par une obstruction des voies respiratoires. Elles surviennent chez quelqu'un qui a de grandes peurs provenant de l'enfance. Il est temps que cette personne se prenne en main, tourne la page sur son enfance et fasse confiance à la vie, à notre mère, la Terre, qui pourvoit aux besoins de tous.

Les problèmes aux **POUMONS** surviennent chez quelqu'un qui ne sait pas aspirer la vie, qui ne sait pas trouver de l'intérêt dans ses activités, qui ne croit pas mériter de vivre pleinement. Quand ce problème est l'**EMPHYSÈME**, il est indicateur de mécontentement. La personne qui en souffre doit apprendre à vouloir être heureuse au lieu d'attendre que les autres la rendent heureuse. Elle doit aussi apprendre à se créer de la joie au lieu d'attendre qu'elle lui vienne des autres.

Une **PNEUMONIE** se manifeste chez une personne qui est fatiguée de la vie et de toutes ses responsabilités. Elle vit facilement des émotions et peut même se sentir désespérée face à un aspect de sa vie. Le message que son corps lui donne ainsi est de prendre la vie avec un grain de sel et de voir le beau, le bon et la joie dans chaque instant.

Quand à la **BRONCHITE**, elle vient souvent d'un environnement familial difficile à supporter soit en raison de l'absence de communication, soit en raison de disputes et de querelles excessives. Celle qui en est affectée se sent lasse et découragée de la vie. Il est grand temps pour elle d'apprendre à créer de la joie et de l'amour dans sa vie de chaque jour, et de cesser de dépendre des autres pour son bonheur. Le message pour le **CROUP** est le même que pour la bronchite.

CINQUIÈME RÉGION : LA RÉGION DE LA GORGE

Cette région part de la base du cou et va jusqu'au-dessus de la bouche. A cet endroit du corps, l'énergie doit être utilisée pour exprimer notre créativité. En réalité, le pouvoir de créer se situe plus bas, dans la région du centre sacré. Mais l'énergie qu'on utilise quand on exprime ce pouvoir de créer dans le monde physique vient de la région de la gorge. C'est l'énergie venue du centre sacré qui est transmutée pour la faire monter vers "l'être" afin que "l'être" puisse s'exprimer à travers cette énergie. C'est cette énergie qu'on utilise pour la parole et pour tout ce qui est en rapport avec la production du son. On dit que la qualité de cette énergie est à son meilleur quand on n'exprime que la vérité. La conséquence directe de l'utilisation bien qualifiée de cette énergie est que l'être humain commence à récolter beaucoup d'abondance dans sa vie et qu'il a l'impression d'expérimenter des miracles ! C'est grâce à cette énergie que tu as la certitude qu'il y a toujours une solution à tout ce qui t'arrive. Quand tu acceptes que toutes les situations, toutes les personnes auxquelles tu te trouves confrontée ont été créées par toi pour ta croissance, pour le développement de ta conscience, c'est le signe que tu qualifies et utilises bien cette énergie. Plus l'être humain est en contact avec son "être", avec son "moi supérieur", moins il se sent seul. Quand on vit seulement dans son énergie de base, cette énergie matérielle plus condensée, on se sent seule, on attend beaucoup de la matière et on a de la difficulté à croire que des solutions à ses problèmes existent. Plus on élève ses vibrations, plus l'énergie devient subtile, plus on sent qu'on se rapproche de **DIEU**. On sait alors qu'on ne sera plus jamais seule.

C'est dans cette région que se situent les sept dernières vertèbres de la colonne vertébrale qu'on appelle vertèbres cervicales. Elles sont superposées derrière le cou, le long de la nuque. Par la région du cou, nous entrons dans la dimension mentale de l'être humain. Les problèmes qu'on retrouvera dans cette région seront tous reliés à notre façon de penser alors que ceux du plexus solaire et du coeur étaient reliés au senti.

Parmi les problèmes au **COU**, on retrouve surtout le **TORTICOLIS**, qui est une raideur dans le cou, c'est-à-dire un manque de flexibilité. La personne qui en souffre ne veut voir dans une situation que ce qui fait son affaire. Elle ne veut pas voir en quelqu'un ou en quelque chose quoi que ce soit qui puisse l'aider dans son évolution ou à travers quoi elle pourrait apprendre des choses. Un torticolis se produit souvent aussi quand on a des contrariétés, quand on aurait intérêt à faire une mise au point avec quelqu'un, mais qu'on s'empêche de la faire. On espère que les choses s'arrangeront d'elles-mêmes. C'est alors que le cou se raidit. Quand la **DOULEUR AU COU** t'empêche de bouger la tête dans plusieurs directions, ton corps te conseille fortement de bien regarder le moment présent et d'apprécier les belles choses que tu as créées jusqu'à présent. Quand il est difficile de tourner la tête sur les côtés, c'est-à-dire de faire le signe "non", ton corps dit: "A qui ou à quoi as-tu de la difficulté à dire "non"? Si la douleur t'empèche de faire le signe de tête correspondant au "oui" le message est le même mais change le mot "non" par le mot "oui". Il est temps d'y faire face et d'agir en conséquence.

Les douleurs à la **NUQUE** indiquent à la personne qui en

est affligée qu'elle a du mal à accepter son moi supérieur, à créer sa propre vie sans s'inquiéter de l'opinion des autres. Cette personne rêve beaucoup mais elle ne passe pas à l'action. Elle croit qu'avec plus de connaissances elle pourrait agir. Le message ? Reconnaître pleinement la valeur de son être et ne pas hésiter à s'exprimer, même en présence de personnes apparemment plus "connaissantes".

Le mal de **GORGE** est le signe d'une colère ravalée que tu retournes contre toi-même. Tu t'en veux de ne pas pouvoir t'affirmer présentement et tu as une attitude trop autoritaire envers toi-même. Tu peux t'en vouloir d'avoir dit oui trop vite et de ne pas oser te désengager, par peur de l'opinion de l'autre. Ton mal de gorge peut aussi survenir quand tu t'en veux d'avoir oublié de dire quelque chose à quelqu'un ou d'avoir dit quelque chose que tu considères mal. Quand tu as peur d'exprimer ce que tu désires exprimer, cela peut provenir de ta croyance qu'il serait mal de dire ce que tu as à dire. Ton mal de gorge peut aussi t'indiquer qu'il est temps de t'exprimer ou de dire quelque chose à quelqu'un. Quand tu as de la difficulté à exprimer ce que tu veux vraiment, c'est que cela impliquerait l'obligation de créer ta propre vie, changer tes croyances et de t'affirmer dans tes besoins. Ton corps te signale que tu aurais avantage à t'exprimer. Il te dit de te pardonner que car tu as agi au meilleur de ta connaissance.

Les problèmes d'amygdales ont un sens métaphysique analogue à ceux de la gorge. Une **AMYGDALITE**, comme toutes les maladies dont le nom se termine en "ite", dénote une grande colère face à certains événements de ta vie.

Quand tu as une **LARYNGITE**, que tu perds la voix, c'est

un peu comme pour le mal de gorge, mais avec la différence que ce que tu as à dire s'adresse à une personne qui représente pour toi l'autorité. Tu as peur d'exprimer ton opinion à quelqu'un de ton entourage soit par crainte de faire rire de toi ou d'être incomprise. Malgré cela, il t'est important d'exprimer cette opinion.

Les maladies de la **GLANDE THYROÏDE** sont en rapport avec l'expression de la créativité. La glande thyroïde est reliée au centre d'énergie de la gorge et a une fonction très importante pour le corps. Nous ne pourrions pas vivre sans les hormones de cette glande qui contrôle le métabolisme général du corps humain. Cette glande produit l'iode, un antiseptique très puissant qui aide à éloigner les ennemis du corps. Et la région du cou où elle se situe est très importante car c'est elle qui fait le lien entre le côté physique et le côté spirituel de l'être, entre le corps et l'esprit. La tête commande et le corps exécute. Si le corps ne répond pas aux ordres de la tête, il en résultera un manque d'harmonie. Présentement, l'orgueil nous empêche souvent d'être à l'écoute de nos vrais besoins. La personne qui a l'impression d'avoir toujours avalé des outrages venus de tout un chacun et qui se considère victime d'injustice, peut avoir des problèmes de glande thyroïde. La victime ne crée que des problèmes dans sa vie pour pouvoir être davantage victime. La gorge dit d'utiliser sa créativité pour créer des choses merveilleuses à la place.

L'**HYPERTHYROÏDIE** consiste en une activité excessive de la thyroïde. On la retrouve chez la personne qui crée toutes sortes de choses dans sa vie, mais ces choses ne sont pas celles qui lui sont bénéfiques. Elle en vient à développer beaucoup de rancune et de haine envers tout ce qui l'empêche de faire ce qu'elle veut vraiment faire. Il y a chez cette personne la croyance en l'obligation de suivre tous les conseils reçus. Par ce message, son corps lui donne l'avertissement suivant: "Il est grand temps que tu apprennes le discernement face aux conseils reçus et que tu crées toi-même ta vie."

Le **GOÎTRE** est un signe d'hyperactivité de la glande thyroïde. Il se développe souvent chez une personne qui vit de l'angoisse ou de la colère car elle veut imposer sa volonté à tout prix et n'y parvient pas. Elle a intérêt à exprimer ce qu'elle veut faire de sa vie au lieu d'attendre que les autres lui donnent le feu vert.

L'**HYPOTHYROÏDIE**, qui est une insuffisance thyroïdienne, est un avertissement sérieux pour la personne qui en souffre. Elle lui conseille fortement d'exercer sa créativité, de créer sa vie davantage. Elle peut exercer sa créativité grâce à toutes sortes de moyens, qu'ils soient de nature littéraire, musicale ou reliés aux arts visuels. Elle peut aussi créer elle-même sa vie en faisant vraiment ce qu'elle a envie de faire. Les problèmes d'hypothyroïdie peuvent aussi résulter de l'incapacité de faire face à une situation répétitive, de communiquer avec quelqu'un de proche.

La **DIPHTÉRIE** commence par la gorge et constitue un message important à ce niveau, lié à l'expression. On la retrouve chez une personne qui a de grosses difficultés dans ses échanges avec les êtres de son entourage parce qu'elle a vraiment tout avalé et qu'elle ne dit pas ses besoins.

Les problèmes de **BOUCHE** sont aussi reliés à ta façon de penser. Que tu aies un ulcère ou quoi que ce soit qui fait mal dans la bouche, il s'agit d'un message qui vise à te faire comprendre que tu as de la difficulté à avaler une nouvelle idée. Il peut s'agir aussi de pensées malsaines envers toi-même ou envers quelqu'un d'autre, pensées que tu as ruminées trop longtemps.

Quand il y a un mal de **LANGUE**, tu dois te poser la question suivante : "Sans langue, de quoi serais-je privé-e dans ce que j'aime faire ?" La première réponse qui vient t'indiquera où tu dois diriger ton attention. La langue sert à parler, à goûter. Se peut-il que tu utilises ta langue pour dire des choses que tu regrettes ? Ou pour manger des choses que tu regrettes ensuite ? Il se peut que la culpabilité soit également sexuelle ! Es-tu réellement coupable dans chacun des cas ? Ou as-tu fait au meilleur de ta connaissance ?

La **MAUVAISE HALEINE** constante (je ne parle pas de celle qui se produit occasionnellement à la suite d'une consommation d'ail ou d'oignons crus !) indique une personne qui a des pensées de vengeance ou de colère. Ces pensées, dont elle a honte, sont comme de l'acide qui lui gruge l'intérieur. Elles peuvent être aussi profondes qu'inconscientes. La personne affligée de ce problème aurait intérêt à ce qu'on lui dise qu'elle a mauvaise haleine, car elle vit avec cela depuis peut-être si longtemps qu'elle ne s'en aperçoit plus. Le fait de le savoir lui permettra d'aller s'exprimer à la personne qui est l'objet de ces pensées malsaines et de lui demander pardon de lui en avoir tant voulu.

Les dents sont reliées aux décisions. Quand tu as **MAL AUX DENTS**, cela signifie que tu dois présentement prendre des décisions mais que tu as peur des conséquences reliées à ces décisions. Ton corps te dit qu'il ne t'est pas bénéfique d'utiliser ton imagination pour te faire peur ainsi. Si ce sont les dents du côté gauche de la bouche qui te font souffrir, les choses à décider ne sont pas tellement calculées d'avance ni réellement conscientes; elles sont plutôt instinctives. Si le mal se trouve du côté droit, il indique une décision plus consciente, plus intentionnelle, plus voulue.

Les **GRINCEMENTS DE DENTS** indiquent de la rage intérieure contenue, des larmes retenues et beaucoup de tension nerveuse.

Les problèmes de **GENCIVES** comportent un message du corps à l'effet que tu as beaucoup de difficulté à mettre à exécution des décisions déjà prises. Tu ne sais pas trop sur quel pied danser, tu es incertaine.Ton corps te dit de passer à l'action. Tu ne peux pas faire d'erreurs car tout est une expérience. S'il s'agit de **GENCIVES QUI SAIGNENT**, c'est l'indication d'un manque de joie venu de décisions prises.

La **PYORRHÉE**, qui est une maladie des gencives, comporte le même message que ci-dessus (voir problèmes de gencives), en y ajoutant de la colère.

Une **GINGIVITE** a la même signification que la pyorrhée.

La personne qui a des problèmes de **MÂCHOIRES** ressent en elle un excès de colère ou de rancune. Il peut même s'agir d'un désir de se venger. Mais elle ne dit rien, elle garde tout en elle et rumine un désir non exaucé. Dans le cas des **MÂCHOIRES QUI BARRENT**, il y a en plus le désir inexprimé de tout contrôler ce qui se passe dans son entourage, ce qui provoque des émotions réprimées.

Les **LÈVRES** ont un lien direct avec la vie sexuelle, avec son expression au moyen de la sexualité. Des boutons sur les lèvres, de l'**HERPÈS BUCCAL** (communément appelé "**FEUX SAUVAGES**"), sont souvent l'indication d'un jugement sévère porté contre quelqu'un du sexe opposé avec la tendance d'étendre ce jugement à l'ensemble du sexe opposé. Un exemple ? La femme qui dit : "Les hommes ! Ils sont bien tous pareils ! Ils ne pensent qu'au sexe !" ou "Ils veulent toujours se faire servir par les femmes !" Se donner un herpès buccal est un moyen de ne pas se faire embrasser par quelqu'un. Si tu as ce problème, demande-toi s'il y a quelqu'un que tu juges sévèrement ou que tu veux punir présentement en l'empêchant de t'embrasser.

Un **RHUME** est une indication qu'il y a beaucoup trop de choses qui se passent présentement dans ta vie ; cela crée de la confusion mentale et de l'irritation. Son message est le suivant : "Calme-toi ! Fais une liste de tout ce que tu dois faire et prends une chose à la fois, par ordre de priorité !" Un rhume peut aussi être le résultat d'une programmation mentale à l'effet que, chaque année, vers telle période, on aura un rhume. Pourquoi, en effet, le rhume est-il si répandu ? Parce qu'il est très commun d'y croire ! Il s'agit là d'une croyance populaire fortement ancrée dans la conscience collective. Il est prouvé aussi qu'un rhume est beaucoup plus apte à se déclarer dans un organisme affaibli et irrité par une consommation excessive de viandes ou de sucre.

Comme je le mentionnais dans un chapitre antérieur, on

peut se faire arriver une "bonne **GRIPPE"** pour s'éviter un surcroît de stress, pour prendre un congé parce qu'on n'en peut plus d'en avoir autant à faire. La personne qui s'offre ce loisir se permet de se reposer pendant quelques jours. En réalité, son corps lui dit : "Si tu veux prendre un congé, tu peux le faire sans avoir à te rendre aussi malade ! Affirme tes besoins !"

La **TOUX** indique, qu'inconsciemment, il y a quelque chose qui ne passe pas. C'est dans ce que tu entends, soit de l'extérieur ou de ta voix intérieure. Tu aurais intérêt à t'ouvrir plus au changenent.

Une personne avec un problème de **BÉGAIEMENT** souffre d'insécurité. Etant plus jeune, elle a beaucoup refoulé ce qu'elle avait à dire, par peur du rejet. Cette personne aurait intérêt à s'ouvrir davantage et à se permettre de pleurer.

SIXIÈME RÉGION : LA RÉGION DU VISAGE

La région du visage qui correspond au centre frontal commence au bas du nez et va jusqu'au front. Dans cette région du corps se trouve la **GLANDE PITUITAIRE (HYPOPHYSE)** qui est la glande maîtresse de toutes les autres glandes du corps humain. L'énergie de cette région vibre à une très haute intensité. Plus la fréquence et l'intensité vibratoires sont élevées, plus les messages seront subtils et difficiles à déchiffrer.

Comme je le mentionnais précédemment, ton intellect se trouve dans la région du plexus solaire qui est directement liée au centre frontal. Quand une personne abuse de son intellect, cela affecte le centre frontal où se trouve l'énergie de l'intuition, l'énergie de l'intelligence, cette intelligence qui sait qu'on sait. Le centre frontal est aussi le centre de l'énergie des dons psychiques. Une personne qui veut développer trop rapidement ses **DONS PSYCHIQUES** en prenant toutes sortes de cours ou en faisant de la lecture dans ce but précis peut débalancer complètement sa **glande pituitaire** et toute la région de la tête. Il est bien important que les autres centres d'énergie soient harmonisés avant de développer le centre frontal de façon plus spécifique. La meilleure façon de développer ses dons psychiques est d'utiliser les sens situés dans cette région pour voir, entendre et sentir **DIEU** partout.

Un problème de peau comme l'**ACNÉ**, par exemple, est relié directement à l'individualité. Le visage est ce que les autres voient d'abord, et un problème d'acné témoigne d'une personne qui ne s'aime pas, qui ne sait pas s'aimer. Elle s'aime si peu qu'elle croit que les autres ne peuvent pas l'aimer. C'est pourquoi elle les repousse avec ce problème de peau. L'acné est aussi un façon de dire : "Ne vous mêlez pas de mes affaires !" Il s'agit d'une personne qui se sent lésée dans son individualité. On retrouve souvent ce problème chez des adolescents qui ont une mère ou un père qui veut trop les diriger. Il se peut aussi que l'adolescent essaie trop d'être comme son père afin de faire plaisir à sa mère, au lieu d'être tout simplement lui-même.

Des problèmes au **NEZ** veulent dire que la personne affectée se laisse déranger par quelque chose qu'elle sent ou ressent autour d'elle. Au lieu de sentir de l'amour, cette personne est plutôt dans son intellect, occupée à juger ou à critiquer à partir de ce qu'elle ressent. Son corps lui dit ceci : "S'il y a quelqu'un de ton entourage ou une situation que tu ne peux pas sentir présentement, il est important que tu fasses une mise au point." Si cette personne ou cette situation entre directement dans ton espace, c'est à toi de réclamer cet espace vital. Si la question ne te concerne pas mais qu'elle regarde quelqu'un d'autre, ton corps te dit de te mêler de tes affaires et d'accepter que les autres fassent des choix différents des tiens ou prennent des décisions différentes des tiennes.

La **SINUSITE** a la même signification que les problèmes de nez, en y ajoutant de la colère. Le message est de sentir l'amour des autres plutôt que d'être aussi facilement irritable.

Un **SAIGNEMENT DE NEZ** est tout simplement le fait d'une personne qui a besoin d'attention, qui a besoin d'être reconnue. Elle croit que personne ne l'apprécie ou ne la remarque dans ce qu'elle est ou ce qu'elle fait. Le sang représente la joie de vivre. Elle pleure du sang, c'est-à-dire elle laisse échapper sa joie intérieure en croyant que le bonheur vient de la reconnaissance des autres. Son corps lui dit d'apprendre à se reconnaître elle-même. Il lui dit que le bonheur vient de ce qu'elle pense d'elle-même. La reconnaissance des autres vient seulement ajouter à son bonheur, comme le glaçage sur un gâteau.

Le **RONFLEMENT** est l'indication du refus de se défaire de ses vieilles habitudes, de ses vieux schèmes de pensée. Cet entêtement est généralement inconscient. Un bon remède consiste à demander à ses proches s'ils sont conscients de ces entêtements et de garder l'esprit ouvert face aux réponses qu'ils donneront. On doit ensuite agir en conséquence, en étant attentive à expérimenter du nouveau.

Les **ÉTERNUEMENTS** successifs et nombreux sont souvent le signe d'un désir de se débarrasser de quelqu'un ou d'une situation qui agace. Tu aurais intérêt à en devenir plus consciente pour en parler à la personne concernée.La **TOUX** indique, qu'inconsciemment, il y a quelque chose qui ne passe pas. C'est dans ce que tu entends, soit de l'extérieur ou de ta voix intérieure. Tu aurais intérêt à t'ouvrir plus au changement.

Un problème de **SURDITÉ** se manifeste chez quelqu'un qui est entêté, qui veut s'isoler et qui se sent facilement rejeté. C'est souvent une personne qui ne veut plus se faire ennuyer, qui ne veut plus entendre quelqu'un d'autre. Son corps lui dit d'entendre autre chose, à travers les mots entendus, c'est-à-dire, de sentir la souffrance ou la peur de l'autre personne plutôt que de se fermer. Voilà une belle occasion d'ouvrir son coeur et de faire un acte d'amour.

En ce qui concerne les problèmes aux **OREILLES** incluant le **BOURDONNEMENT** d'oreille, ton corps te dit que tu te laisses déranger par quelque chose que tu entends. Pour la solution, se référer à l'explication des problèmes aux nez en prenant soin de remplacer le verbe "sentir" par le verbe "entendre". S'il y a infection, comme dans le cas de l'**OTITE**, c'est le signe qu'il y a aussi de la colère. Tu te bouches les oreilles pour ne plus entendre. La **MASTOÏDITE** se retrouve habituellement chez des enfants qui expérimentent beaucoup de colère et de frustration en rapport avec ce qu'ils entendent. Ils voudraient arrêter d'entendre ce qui se passe dans leur entourage parce qu'ils ont de la difficulté à comprendre.

Les problèmes aux **YEUX** signifient qu'on se laisse déranger soit par ce qu'on voit ou soit par ce qu'on ne veut pas voir chez quelqu'un. Selon une théorie, un problème aux yeux provenant de l'enfance est dû à un stress familial. Si ce problème se développe à l'école, cela dénote de la peur et de l'anxiété. Provenant de l'adolescence, un problème aux yeux indique la peur de la sexualité. Chez l'adulte, il témoigne de la peur de perdre quelque chose. La **MYOPIE** se présente chez quelqu'un qui s'inquiète de ce qu'il peut voir dans l'avenir. Elle se retrouve fréquemment chez ceux qui voudraient ne pas voir tout ce qu'ils voient. Dans son jeune âge, le myope voyait très loin mais il aurait préféré ne pas tant voir. Son corps l'a donc écouté et a fait baisser sa vision. Sa conscience s'est mise à fonctionner plus lentement. Le message que la myopie transmet est d'accepter cette vision, cette connaissance sans en être dérangé ni en douter. Il te dit aussi de voir ta beauté présente sans penser qu'elle se manifestera seulement plus tard.

La **PRESBYTIE** se retrouve chez une personne qui s'inquiète de son avenir à cause de ce qu'elle voit présentement, comme le fait de se voir vieillir, de voir les enfants partir de la maison ou d'être moins attrayante. Elle aimerait mieux ne pas voir certaines réalités imminentes et sa vision se transforme en conséquence. Le secret consiste à voir non seulement du beau et du bon dans sa vie présente mais pour le futur aussi. On ne doit jamais oublier que le futur dépend du moment présent.

L'**ASTIGMATISME** arrive souvent à une personne qui a été très curieuse depuis sa tendre enfance. Le désir de tout voir, de tout savoir a épuisé ses yeux. Son corps lui dit de prendre le temps de tout savourer et de ne pas se sentir aussi pressée. Ce problème peut aussi signifier le refus de voir sa propre beauté, sa magnificence.

Le **STRABISME**, qui consiste à loucher d'un oeil, signifie une absence de désir de voir les choses telles qu'elles sont vraiment à cause de l'insécurité que cela génère.(voir p.138)

Le **GLAUCOME** est souvent le signe d'une rancune entretenue depuis longtemps et d'une difficulté à pardonner. Cette blessure du passé envahit le champ de vision de la personne à cause d'une trop grande émotivité. Se référer à la presbytie ou à la myopie selon que ça l'empêche de voir de loin ou de près.

La **CATARACTE**, pour sa part, se manifeste chez une personne qui veut tout voir à sa façon et non selon la réalité des autres. Elle peut même se penser supérieure. Le message que son corps lui transmet est d'enlever le voile qu'elle met pour s'empêcher de voir la beauté partout, intérieure et extérieure.

La **CONJONCTIVITE** est une inflammation de l'oeil qui exprime de la colère et de la frustration face à ce que tu vois dans la vie. Le message de cette anomalie de l'oeil est de ne voir que le beau, de réaliser que tout est l'expression de **DIEU**.

La **KÉRATITE**, qui est une inflammation de la cornée, est l'expression d'une colère intense, d'un grand désir de frapper quelqu'un. Le message que ce problème oculaire transmet est semblable à celui de la conjonctivite.

Les **YEUX CERNÉS** de façon très prononcée sont, en général, le signe d'une fatigue causée par une allergie alimentaire, soit au glucose (sucre, pâtes, jus, liqueurs douces, alcool, etc.), soit aux produits laitiers ou encore au blé. Une allergie se développe quand il y a trop de dépendance envers un produit. Le message est de devenir une personne moins dépendante des autres pour être heureuse, c'est-à-dire d'apprendre à être bien même si les autres ne t'approuvent pas ou ne sont pas d'accord avec toi.

Un **ORGELET** se manifeste chez une personne qui vit de la colère parce que quelqu'un d'autre ne veut pas voir la même chose qu'elle. Son oeil lui dit de laisser les autres être comme ils l'entendent.

N'avez-vous pas remarqué que chez les **ENFANTS**, de la naissance à l'adolescence, c'est la région frontale, les organes qui y sont rattachés qui connaissent le plus de problèmes ? Pourquoi la **gorge**, le **nez**, les **oreilles** et les

yeux sont-ils si souvent affectés chez les enfants ? Parce que ces organes se trouvent dans la partie du corps qui représente "l'être". Les enfants sont très purs et ils savent tout de suite par ce qu'ils voient, sentent ou entendent dans leur entourage que leurs proches vont à l'encontre des lois de l'amour. Et cela les dérange énormément. Comme ils ne peuvent pas s'exprimer, cela leur donne des problèmes de gorge. Si vous avez des enfants qui ont ce genre de problèmes, il est très important de leur expliquer ce que je viens de dire ici. Ils comprendront même s'ils sont encore très jeunes, même s'ils sont au berceau. On doit leur expliquer aussi que, même s'ils sont dérangés par ce qui se passe chez leurs proches, ils doivent accepter que les adultes font leur possible, qu'ils aiment au meilleur de leur connaissance. S'ils ne sont pas d'accord avec ce qui se vit autour d'eux, ils doivent comprendre que c'est bien dommage, mais que la vie est ainsi faite : on ne peut pas toujours être en accord avec tous les événements, avec toutes les réalités dont on est témoin. Il est donc indispensable d'apprendre à accepter que les gens agissent au meilleur de leur connaissance et que leur manière de voir les choses sera souvent différente de la nôtre. On doit aussi rassurer les enfants : même s'ils sentent, voient ou entendent des choses inharmonieuses, cela ne veut pas dire qu'on ne les aime pas. Cela peut seulement vouloir dire que les adultes n'aiment pas leur propre vie.

Un autre problème physique relié à ce centre est le **MAL DE TÊTE**. Celui-ci peut provenir d'une circonstance, d'une situation ou de quelqu'un qui te cause une grande pression. Bien que cela te déplaise, tu te forces à l'endurer pour diverses raisons, et survient le mal de tête. Un mal de tête logé dans le front peut souvent indiquer à la personne qu'elle veut trop comprendre et voir plus loin. Elle abuse de son intellect. Il se peut qu'elle veuille trop comprendre ce qui se produit dans son milieu au moyen de la notion de bien et de mal. Il se peut aussi qu'elle s'inquiète de l'avenir, qu'elle veuille avoir trop vite les réponses pour quelque chose qui la préoccupe. La cause la plus courante est reliée à l'individualité. Les personnes qui en souffrent se jugent, se critiquent inutilement. Elles se tapent sur la tête, comme le dit si bien l'expression populaire. Elles entretiennent des pensées de dépréciation d'elles-mêmes au lieu de prendre conscience qu'elles sont des expressions de **DIEU**. Le centre coronal est directement relié au centre sacré, qui est le centre de l'énergie sexuelle. C'est pourquoi la **MIGRAINE** est souvent l'expression d'une insatisfaction sexuelle ou d'une insatisfaction de la créativité. Ce malaise dit à la personne de reprendre contact avec son pouvoir de créer et d'arrêter de se croire ou de se sentir à la merci des autres. Il lui dit aussi d'arrêter de se comparer à quelqu'un d'autre ou à un idéal à atteindre. Au lieu de croire qu'elle n'a pas le choix, elle doit plutôt s'affirmer et passer à l'action dans ce qu'elle veut véritablement faire. C'est ça créer sa vie.

La **PHARYNGITE** est reliée au centre frontal par le fait qu'une de ses causes est la déshydratation du nez. Elle affectera une personne qui se laisse déranger par quelque chose qu'elle ressent vivement dans son entourage et qui viendrait bloquer son senti.

La maladie des **VÉGÉTATIONS (ADÉNOÏDES)** est un problème qui affecte surtout les enfants. Il s'agit des végétations qui s'hypertrophient, enflent et causent une obstruction nasale obligeant à respirer par la bouche. L'enfant qui en souffre a généralement une sensibilité qui lui permet de ressentir très fortement les impondérables de son milieu. De façon très inconsciente, il ressentira des choses qu'il n'aimera pas, parfois bien avant les principales personnes intéressées. Un exemple? Il ressentira, bien avant qu'une séparation ne se produise entre ses parents, que quelque chose ne va pas entre eux. Sa réaction sera de bloquer son senti. Aussi une enfant avec ce problème se sent souvent de trop ou non bienvenue dans la famille et bloque ce senti qui est douloureux. Le message est de vérifier si la famille la considère véritablement de trop.

La **DÉPRESSION** est aussi reliée à ce centre d'énergie. Elle se produit souvent chez des personnes très psychiques qui captent tout ce qui survient dans leur milieu et abandonnent la partie. Elles cessent d'avoir le goût de vivre et se sentent inutiles. Leur individualité devient complètement faussée: elles n'arrivent plus à réaliser à quel point elles sont importantes. En fuyant ainsi dans la dépression, elles évitent d'avoir à faire face aux événements de leur vie. Pour combattre la dépression, il est essentiel de retrouver sa propre valeur, de reprendre contact avec son **DIEU** intérieur. Et ceci s'accomplit en pratiquant l'amour de soi.

Le "**BURNOUT**" (ou **ÉPUISEMENT**) est une autre forme de capitulation. Il arrive à des gens qui ont beaucoup d'attentes et qui ont l'impression de se battre contre "un système". On retrouve beaucoup de "burnout" chez des infirmières qui ne sont pas en accord avec le système médical ou chez des professeurs vivant le même sentiment face au système scolaire. Ils aimeraient y apporter des changements qui favoriseraient une meilleure approche de la santé ou de l'éducation, qui seraient plus conformes à leur idéal et plus appropriés à l'énergie de l'**Ère du Verseau**. Ces personnes, très dévouées, se donnent à 100%, mais vient un moment où elles se sentent dépassées, impuissantes. Elles se disent: "A quoi bon?! Il y a trop à faire! C'est tout le système qui devrait être changé!" C'est alors qu'elles abandonnent complètement la lutte. Elles n'ont plus le goût de faire quoi que ce soit de leur vie. Le message que le corps veut leur transmettre par là, est d'arrêter de vouloir être le sauveur de l'humanité. On ne peut pas plaire à tout le monde. L'essentiel est de faire son travail au meilleur de sa connaissance et d'être satisfaite de se donner à 100%.

La maladie appelée **SYNDROME DE CUSHING** est le fait d'une personne débalancée mentalement et physiquement. Celle-ci se sent totalement impuissante puisqu'elle a perdu tout contact avec son propre pouvoir. Elle aurait aussi le désir plus ou moins conscient d'écraser d'autres personnes. Le message? Apprendre à choisir des pensées qui lui permettent de bien se sentir, et réaliser son propre pouvoir en posant des gestes en conséquence.

SEPTIÈME RÉGION : LA RÉGION DE LA TÊTE

Cette région correspond au centre d'énergie coronal qui est relié à la **GLANDE PINÉALE** et comprend le dessus de la tête. C'est le centre du "Je suis **DIEU**", le centre de l'identification à **DIEU**.

Une **TUMEUR AU CERVEAU** indique de l'entêtement et un grand refus de changer ses vieux schèmes de pensée. Ce problème est un message important, indiquant que la présente façon de voir la vie est tout-à-fait contraire aux besoins de l'âme. Le cerveau souffre car ce qu'il reçoit **dans son ordinateur** ne va pas avec le reste du corps.

Une personne dans le **COMA** se sauve de quelqu'un ou d'une situation. Elle a très peur. Son corps lui dit de se sentir aimée et en sécurité. Il y a une place pour elle sur la Terre : donc, qu'elle fasse un choix entre vivre ou mourir.

Les maladies comme la **PSYCHOSE**, la **NÉVROSE**, la **SCHIZOPHRÉNIE** sont le signe d'une évasion vers une autre identité parce que la personne qui en souffre a complètement perdu de vue sa nature réelle. Elle n'accepte aucun aspect de son véritable être , de son "**JE SUIS**". Elle se croit quelqu'un d'autre ou veut être quelqu'un d'autre. Les personnes qui sombrent dans ces maladies mentales ont souvent un intellect extrèmement fort et éprouvent d'une façon chronique le besoin de comprendre au lieu d'accepter. Il peut aussi s'agir de gens qui ont beaucoup de dons psychiques et qui se sont peut-être amusés à les développer de façon excessive soit à travers les arts martiaux soit par toute autre méthode de contrôle les menant à devenir trop rapidement des initiés dans le domaine des connaissances ou de la maîtrise.

Ces personnes atteintes de maladies psychiques vivent vraiment une constante lutte intérieure à cause de ce qu'elles croient péché ou mal. Elles se perçoivent comme des êtres horribles, éloignées de **DIEU**. En général, ces personnes sont très croyantes, elles ont besoin de croire en **DIEU** et sont attirées par **DIEU**. Mais malheureusement, elles croient aussi en l'existence de Satan et du péché, ce qui les trouble, les divise intérieurement. Satan n'est qu'une personnification du mal et il est la création de l'homme. Il symbolise ou signifie "mal", et entre en action dans notre esprit quand on se sépare de son **DIEU** intérieur, quand on s'accuse, se condamne ou quand on se fait du mal. Mais en réalité Satan n'est absolument pas un être, un personnage et il n'a pas plus de consistance qu'une ombre.

Les gens qui croient au mal, au péché, se coupent de **DIEU**. Cette division les amème à se sentir isolés et ils deviennent des personnes très insécures. Ils sont constamment sur la défensive parce qu'ils se sentent attaqués. Ainsi, pour se défendre, ils adoptent l'un ou l'autre des deux comportements suivants: soit de développer une dépendance sur tout ce qui est matériel pour créer leur sécurité, soit s'en couper complétement croyant que c'est la source du mal.

La raison pour laquelle les personnes qui souffrent de maladies mentales ont du mal à s'en sortir, est que, l'outil qui leur permettrait de se prendre en main, est lui-même en difficulté. Elles vivent tellement au niveau des chakras supérieurs qu'elles ont complètement fermé les deux premiers chakras de base. Ces personnes sont très facilement bouleversées lorsque des peurs et des émotions se présentent: c'est comme si leur corps énergétique était dépourvu de jambes !

Jusqu'à présent, les moyens que j'ai pu découvrir afin de venir en aide à ces personnes sont les suivants : 1) couper le plus possible le sucre sous toutes ses formes : jus, liqueurs, pâtes, pain, sucreries, biscuits, desserts, alcool, etc. 2) ne plus participer à aucun cours ni toucher à aucun livre qui continue à leur apporter seulement des connaissances. 3) être le moins dépendant des autres possible en arrêtant de penser que les autres vont régler leur vie. 4) Ces personnes doivent reprendre contact avec leur senti et leur énergie de base en travaillant physiquement en pleine nature, en faisant du jardinage, en se dépensant physiquement, en nageant, en faisant l'amour. En effet, elles ne s'intéressent plus à tout ce qui est matériel et l'équilibre reviendra si elles se rattachent davantage à la terre. Ces personnes ont besoin de beaucoup, beaucoup d'amour. On les entourera d'amour en leur rappelant leur beauté intérieure, leur filiation divine. Ces êtres se sont coupés du monde en espérant qu'ils seraient plus proches de **DIEU**, mais ils ont oublié que **DIEU** est présent au coeur de tout.

Le centre d'énergie supérieur est relié au centre de base qui est le centre de l'attachement, de la dépendance. Les personnes aux prises avec des problèmes de psychose, névrose, schizophrénie, etc., abandonnent tellement la vie, se sentent si impuissantes qu'elles en viennent à croire qu'elles doivent être complètement prises en charge par quelqu'un d'autre et cela les amène à devenir totalement dépendantes de la société qui les entoure.

La **FOLIE** est une maladie mentale qui exprime une séparation violente d'avec la vie. Y sombrer est une forme de fuite, un choix en vue de se sauver de sa famille pour de bon et d'une manière radicale.

Une personne qui souffre d'**AMNÉSIE** tente de s'évader de la vie car elle a trop peur. Elle se sent incapable de faire face à sa vie par elle-même. Il est grand temps que cette personne reprenne contact avec le fait qu'elle est l'expression de **DIEU**, et qu'elle a tout ce qu'il faut pour faire face à la vie. Une petite victoire par jour lui suffira pour y arriver éventuellement.

La **MÉNINGITE** est une maladie qui affecte des personnes hypersensibles vivant des émotions trop fortes en proportion des événements qui les déclenchent. Il s'agit d'une inflammation du cerveau qui dénote de la colère tout comme la fièvre. Le message que cette maladie transmet est de se fermer aux chocs extérieurs en apprenant la responsabilité face à soi-même. Il est important d'apprendre à ne plus se sentir responsable du bonheur ou du malheur des autres.

L'ÉPILEPSIE est le fait d'une personne qui se sent persécutée, qui nourrit des désirs de violence et qui rejette complètement la vie. Il peut s'agir de quelqu'un qui a vécu de la violence et qui ne s'en est pas défendu, ou de quelqu'un qui s'est senti persécuté et dont le désir de violence envers quelqu'un d'autre s'est retourné contre lui-même. Ceci résulte en un rejet de soi total. Il se vit à l'intérieur de ces êtres un grand conflit d'individualité car ils donnent souvent l'impression d'une extrême douceur. Il semble que l'épilepsie ait sa source pendant la grossesse ou au tout début de l'enfance, au moment où l'enfant a ressenti une puissante charge de culpabilité pour une raison ou une autre. Cette culpabilité lui fait voir la vie comme une constante bataille quand tout ce que cette personne a à faire est de se laisser aller à aimer pour satisfaire le désir de son âme.

L'**ATAXIE DE FRIEDREICH** est une maladie due à un surdéveloppement cérébral. Cette maladie origine habituellement de la façon de penser de la mère qui, même avant la naissance de son enfant, envisageait déjà beaucoup de choses à son sujet. L'enfant, dans son grand désir de répondre au rêve de sa mère, aurait fini par ressentir une impuissance totale, d'où blocage dans son développement.

Les problèmes de **CHEVEUX.** Nos cheveux seraient les antennes aui nous relient à l'énergie cosmique. Quand des personnes perdent leurs cheveux, cette perte provient de ce qu'elles ne sont pas suffisamment en contact avec leur pouvoir divin et qu'elles s'inquiètent beaucoup trop pour l'aspect matériel de la vie. Elles peuvent se sentir impuissantes ou désespérées au point, comme on le dit, de s'en arracher les cheveux. Elles ne sont pas conscientes du fait que l'univers est là pour les supporter. **JÉSUS** a dit : "Demandez et vous recevrez !" Elles doivent donc faire leurs demandes en toute confiance et accepter qu'il y a une solution à tout. On retrouve aussi parmi les personnes qui ont des problèmes de cheveux des êtres qui voudraient contrôler tout le monde au lieu d'accepter le support de tout le monde.

MALAISES ET MALADIES NON RATTACHÉS À UNE RÉGION SPÉCIFIQUE.

Les malaises et les maladies qui suivent ne sont pas nécessairement reliés à un centre d'énergie ou à une partie du corps spécifique. Ils peuvent s'attaquer à n'importe quelle partie du corps. Le cancer est la première de ces maladies que nous allons décrire dans son aspect métaphysique.

Le **CANCER** se manifeste chez une personne qui vit de la haine envers quelqu'un, en général un parent. Cette maladie s'attaque plus spécialement à une personne qui avait énormément d'amour, une personne extrêmement sensible et qui a été terriblement désappointée par l'être qu'elle aimait. Son amour s'est transformé en haine. Cette haine est très profondément enfouie au fin fond d'elle-même et lui est totalement inacceptable, car cette personne est de nature généreuse et remplie d'amour. Elle ne peut même pas y faire face puisqu'elle ne sait pas consciemment que cette haine l'habite et prend tellement de place que même les cellules de son corps prolifèrent et l'envahissent.

Prenons, par exemple, une enfant dont le père est pratiquement toujours absent ou meurt alors qu'elle est très jeune. Elle voit sa mère rester seule avec beaucoup d'enfants et exercer une très lourde tâche. Elle peut alors se mettre inconsciemment à en vouloir à son père qui les a quittés trop tôt et développer de la haine envers lui malgré le fait qu'elle l'aimait profondément. Une telle confusion émotive pourra éventuellement devenir un terrain fertile pour l'éclosion d'une maladie cancéreuse. Souvent, les personnes cancéreuses en veulent aussi à **Dieu** de ce qui leur arrive. Elles trouvent que ce n'est "pas juste" : ça n'aurait pas dû leur arriver et n'acceptent pas la situation comme telle. Le problème vient de ce qu'elles refoulent tout ça au fond d'elles-mêmes.

Voici le profil habituel d'une cancéreuse : une personne que tous admirent et qui est réputée pour sa gentillesse. Elle fait tout pour les autres, lutte même pour eux. Selon les apparences, tout va toujours bien, mais dans son for intérieur, elle se sent victime et fait facilement abuser d'elle sans toutefois en prendre la responsabilité. Elle continue de se faire gruger par sa haine, par sa rancune sournoise et implacable. Il faut répéter que les cancéreuses aiment souvent avec force mais de manière très possessive et rancunière. Et elles le font d'une façon aussi intériorisée qu'ardente. Pour découvrir la cause de cette haine et y remédier, il est important de voir à quelle partie du corps le cancer s'est attaqué. **Cancer du sang (voir Leucémie p.249)**

Quand les **NERFS** sont en mauvais état, le corps envoie le message de mieux communiquer avec les autres, d'être plus réceptive. Il conseille de moins dramatiser et d'avoir plus de plaisir dans les petites choses en appréciant tous les biens du moment présent.

La **SCLÉROSE EN PLAQUES** se manifeste chez quelqu'un qu'on pourrait qualifier de perfectionniste chronique. Cette personne est extrêment sévère envers elle-même, elle se fait la vie dure et met un effort intense dans tout ce qu'elle entreprend. Elle croit qu'elle doit souffrir pour obtenir et mériter ce qu'elle possède ou ce qu'elle désire. Elle veut constamment se dépasser et ne se trouve jamais assez bonne, ni assez parfaite. Elle en fait beaucoup plus que nécessaire et cela se complique par le fait qu'elle veut être reconnue. Elle sera, par exemple, très dérangée par celles qui reçoivent autant ou plus qu'elle, alors qu'elle juge que les autres ont moins donné. Ces personnes sont aussi très psychiques, en général. Elles seront facilement la proie de l'agoraphobie, auront beaucoup de peurs et finiront par avoir vraiment besoin de quelqu'un qui s'occupe d'elles, qui les prenne en charge. Ce sont des personnes qui se critiquent continuellement et qui, par conséquent, vont critiquer tous les membres de leur entourage. Leur grand désir serait d'être capables de tout faire par elles-mêmes, mais, vu qu'elles critiquent sans cesse les autres, elles finissent par avoir besoin des autres pour apprendre à accepter que chacun fait au meilleur de sa connaissance.

L'**ANOREXIE** et la **BOULIMIE** sont des problèmes caractéristiques du reniement complet de la vie. Une personne atteinte de l'un ou l'autre de ces problèmes n'accepte pas d'être sur la terre, se rejette et refuse complètement son corps. Cette personne part très facilement en astral et voudrait constamment s'en aller dans l'au-delà. L'anorexique rejette la nourriture, repoussant ainsi sa mère parce qu'elle la hait ou qu'elle n'a pas accepté sa façon de l'aimer. La boulimique, par contre, mange tout ce qui lui tombe sous la dent, ayant ainsi l'impression de bouffer sa mère, ce qui rendra celle-ci impuissante. Les anorexiques et les boulimiques doivent accepter qu'en s'incarnant, elle ont choisi cette mère et qu'elles ont quelque chose à accomplir sur terre. Comme tout le monde, elles doivent apprendre à s'aimer et à aimer les autres, à voir la beauté partout, à apprécier leur corps et à entrer en contact avec lui. Elles ont aussi besoin de se dépenser physiquement, de se laisser nourrir par leur mère, la Terre.

La personne qui souffre d'**AGORAPHOBIE** (la peur

d'avoir peur) a une grande peur inconsciente de la mort. Très souvent l'agoraphobe a aussi un conflit avec sa mère. Elle l'aime beaucoup mais, en même temps, la critique sans cesse. Elle ne veut pas s'avouer la dépendance qu'elle a développée envers sa mère. C'est aussi une personne psychique qui est très sensible à toutes les émotions extérieures et qui se sent responsable du bonheur et du malheur des autres. Lors d'une naissance ou du décès d'une personne proche ou d'un évènement inattendu dans sa vie, elle semble devenir plus agorophobe. Il est très important pour cette personne d'arrêter de penser que c'est un début de folie et de se prendre en main en affrontant ses peurs, petit à petit, tous les jours. Le plus grand pas est d'apprendre à aimer véritablement sa mère. Sans en dépendre pour son bonheur.

Tous les problèmes de **PEAU (ECZÉMA, ZONA, URTICAIRE**, etc.) sont reliés à la personnalité de celles qui en sont affectées. Ce que les autres pensent d'elles est beaucoup trop important, et cette attitude les empêche de passer vraiment à l'action. Il s'agit de personnes qui ont peur de se faire blesser, qui font souvent beaucoup de pirouettes pour se faire aimer des autres. Elles ne sont pas elles-mêmes mais se comportent plutôt selon ce qu'elles croient qu'on attend d'elles. En conséquence, elles se rejettent, car elles n'aiment pas cette attitude-là en elles. Comme elles ne s'aiment pas, le fait de voir leur peau en mauvais état vient tout simplement confirmer ce qu'elles pensent d'elles-mêmes, à savoir qu'elles ne sont ni belles, ni agréables. Plus une personne se rejette, plus elle a peur d'être rejetée et plus elle a l'impression d'être rejetée. Il est grand temps que ces personnes se fassent des compliments et découvrent l'être merveilleux qui les habite.

Des **ROUGEURS SUR LA PEAU** de quelqu'un indiquent souvent que cette personne veut avoir de l'attention d'une façon enfantine. Elle manque de patience comme l'enfant qui veut son bonbon tout de suite. Son corps lui dit de s'apaiser, de s'aimer et de moins dépendre des autres pour son bonheur.

Les **BOUTONS**, signes d'impatience manifesté surtout envers soi-même, indiquent souvent la peur de manquer de temps pour faire quelque chose et une forte inquiétude face à ce que les autres vont penser de soi. Le message du corps est de relaxer, de ne pas être aussi exigeant envers soi-même et arrêter de croire que les autres jugent aussi sévèrement.

Le **PSORIASIS** arrive souvent chez des gens qui, lorsqu'ils étaient jeunes, ne se sentaient pas aimés de leurs parents, ne réussissaient pas à obtenir l'affection qu'ils recherchaient. Une fois parvenus à l'âge adulte, le psoriasis commence à se développer quand des situations qu'ils traversent leur rappellent cette carence affective. Le malheur de ces gens est d'avoir beaucoup trop besoin de l'affection, de l'amour des autres au lieu de s'appliquer eux-mêmes à aimer véritablement.

L'**OEDÈME** est une sorte de gonflement sous-cutané qui te demande: "Qui ne veux-tu pas laisser aller? A quoi t'accroches-tu ?" La réponse est de lâcher prise afin de te sentir libre.

Les **DÉMANGEAISONS** témoignent de désirs qui ne semblent pas pouvoir être satisfaits. Elles affectent des personnes qui ont une envie intense de faire quelque chose de nouveau, au point que cela les... démange. Elles ne cèdent pas à ce désir ou, si elles le font, elles en auront des remords; vivre le moment présent avec plus d'intérêt.

Un **ENGOURDISSEMENT** se manifeste chez une personne qui veut freiner sa sensibilité mentale. Son corps lui dit de partager son amour et sa considération avec les autres et de s'ouvrir à en recevoir des autres.

La **LÈPRE** est le résultat d'une incapacité totale de mener sa vie, et elle affecte une personne qui croit depuis longtemps qu'elle n'est ni assez bonne, ni assez propre, ni assez pure intérieurement. Elle se trouve sale.

Le **LUPUS**, une forme de tuberculose de la peau, se produit chez quelqu'un qui capitule, qui préfère abandonner plutôt que de s'affirmer. La personne qui en est affectée vit beaucoup de colère et se punit.

La **GALE** (la **GRATELLE**) est une affection contagieuse de la peau. Elle se retrouve chez quelqu'un qui laisse les autres le déranger. Cette personne se sent les nerfs à fleur de peau : tout l'agace souverainement. Le moyen de se libérer de ce problème est de laisser les autres être et faire comme bon leur semble, et de voir à reconnaître et à satisfaire ses propres désirs.

La **SCLÉRODERMIE** est une maladie qui se caractérise par le durcissement de la peau et la perte de sa souplesse et de sa mobilité. Elle affecte des personnes qui vivent une grande insécurité, qui ont l'impression d'avoir besoin de protection et qui se sentent menacées par les autres qu'elles auraient parfois envie de griffer. Elles auraient grand intérêt à se sentir divinement protégées en tout temps et en tout lieu, et à réaliser que c'est en donnant de l'amour qu'on en reçoit.

Le **ZONA** est la maladie de personnes très tendues, de personnes qui ont peur de l'avenir. Elles sont généralement très sensibles et ont une attitude défaitiste face à ce qui pourrait leur arriver.

Les **VERRUES** se présentent chez quelqu'un qui a beaucoup de chagrin, qui a du mal à voir le beau dans sa vie. Cela correspond à un vide affectif qui se remplit d'une chose laide, une verrue. Si tu as des verrues, c'est qu'il y a une partie de toi ou de ta vie où tu n'arrives pas à voir de la beauté. Cherche le message que cela comporte, en relation avec la partie de ton corps où ce problème se situe.

Les **FURONCLES**, communément appelés **CLOUS**, sont une forme d'empoisonnement. Ils affectent quelqu'un qui bout à l'intérieur et dont la colère est en train de déborder. Par ce message, le corps dit à la personne ainsi infectée d'exprimer sa colère, tout en faisant preuve de modération au lieu de la refouler et de bouillir intérieurement.

Les os, qui sont la charpente solide du corps, représentent l'autorité. Le mal aux **OS** ou une **FRACTURE** témoigne d'un être qui est en réaction à l'autorité. Au lieu d'avoir peur de l'autorité de quelqu'un, on a toujours avantage à se dire qu'on est soi-même une autorité. Dans une fracture, venant d'un accident quelconque, il y a aussi de la culpabilité que le corps rejette. Il dit que tout être n'a pas à se punir pour des choses dont il n'est pas coupable.

L'**OSTÉOMYÉLITE**, qui est une infection du tissus osseux et de la moelle osseuse, se manifeste chez une personne remplie de colère et de frustration face à la structure de la vie en général. On retrouve souvent cette anomalie chez des adolescents qui ne se sentent pas supportés. Ils ont intérêt à accepter que l'Univers les supportera quand ils auront décidé de se laisser supporter.

Les **ALLERGIES** sont l'indication d'un état d'hostilité envers quelqu'un d'autre. Elles se produisent chez des personnes qui ont délaissé leur propre pouvoir et qui se laissent beaucoup trop impressionner par celui des autres. Ce sont souvent des personnes très susceptibles. Il est important qu'elles reprennent contact avec leur propre pouvoir si elles veulent créer leur vie.

Les gens allergiques à des aliments, comme l'alcoolique l'est au sucre et à l'alcool, ont beaucoup de mal à accepter de nouvelles expériences. Ils ont peur de la nouveauté et ne croient pas, non plus, que la vie puisse leur réserver quelque chose de bon. C'est pourquoi ils deviennent allergiques à la chose qu'ils aiment le plus, ce qui les obligera à s'en priver. Les allergies à la poussière ou aux animaux sont le résultat d'une grande difficulté à accepter l'agressivité des autres. C'est ainsi que la poussière devient semblable à une agression de l'extérieur. Le message est de voir que quand une personne est agressive avec quelqu'un, elle cache souvent sa peur dans cette agressivité ou c'est peut-être sa façon de t'aimer qui s'exprime ainsi à cause de trop d'émotions non maîtrisées.

Une poussée de **FIÈVRE** résulte d'une accumulation de colère. C'est le corps qui brûle ainsi cette colère. Il choisit ce moyen de relâcher cet excès de colère pour parvenir à se réharmoniser, à se rééquilibrer. Lorsque la fièvre tombe, il est important de bien discerner la cause d'une telle colère et de voir à s'affirmer et à s'exprimer au fur et à mesure plutôt que de laisser sans cesse s'accumuler des expériences stressantes.

Une **DOULEUR AIGÜE et SOUDAINE** est souvent un signe de culpabilité. La personne qui se sent coupable a le don de se faire mal afin de neutraliser sa culpabilité. Le message du corps est alors le suivant: "Veux-tu cesser de te sentir coupable!" Détermine, comme je l'expliquais au début du livre, si tu es vraiment coupable. Et, pour trouver la cause de cette culpabilité, vois quelle partie du corps est le siège de la douleur.

Toute **INFLAMMATION** ou **INFECTION** est une transformation vitale produite dans les tissus par un agent irritant. Comme il y a souvent de la fièvre avec une inflammation, le message reçu par le malaise est: "Il est grand temps d'arrêter de te laisser irriter aussi facilement et de vivre autant de colère. Regarde ce qui t'irrite. Si ça vient des autres, vois ce qui t'appartient (s'en référer au chapitre 2). Il est grand temps d'apprendre à te faire des compliments plutôt que de tant te critiquer".

La **DYSTROPHIE MUSCULAIRE** est une maladie qui indique une peur, un énorme désir de tout contrôler. À force de trop vouloir contrôler, ce qui crée un grand stress, le corps finit par se fatiguer et perd tout contrôle, au point que celui qui en souffre finit par se laisser contrôler complètement par la société. Ce "vouloir contrôler" vient du fait qu'une personne ne se sent pas ou ne se croit pas assez bonne et ne veut pas le montrer aux autres. Son corps lui dit d'accepter de donner ou de prendre le contrôle selon ses besoins, et de ne pas hésiter à révéler ses peurs.

La **MALADIE D'ALZHEIMER** arrive souvent à une personne qui n'a plus tellement le goût de vivre, mais sans raison apparente. Tout semble indiquer que cette personne aurait tout pour être heureuse. Cependant, elle se laisse mourir à petit feu. Cela peut arriver à quelqu'un qui a beaucoup de mal à se défaire de vieilles idées qu'elle a accumulées en si grand nombre dans sa mémoire qu'il n'y a plus de place pour le nouveau. Elle se souviendra d'événements relatifs à un passé lointain, mais la mémoire à court terme sera complètement déficiente. Le message? S'occuper d'elle-même, vivre le moment présent en y infusant de la joie et un sentiment d'importance.

Tout problème de **JOINTURE** indique une inflexibilité au changement de direction dans sa vie. Le corps dit tout simplement d'être plus flexible dans ce qui se passe présentement, d'aller vers cette nouvelle direction avec plus d'aisance et de confiance en la vie qui prend toujours soin de nous. Quoi qui arrive, il y a toujours une solution, car il n'y a jamais d'erreurs dans la vie, seulement des expériences nouvelles à travers lesquelles nous apprenons continuellement.

L'**ARTHRITE** se retrouve souvent chez des personnes qui ne se sentent pas aimées, qui se critiquent et critiquent les autres dans leur for intérieur. Elles rationalisent énormément et vivent beaucoup de déceptions, d'amertume et de ressentiment face à leur vie. Leur corps leur dit de ne pas tout refouler en elles et d'exprimer ce qu'elles vivent tout en apprenant à dire "non" quand c'est "non" au lieu de "oui", pour faire plaisir. Elles doivent arrêter de croire que les autres les exploitent.

Le message de l'**ARTHRITE RHUMATOÏDE** est le même que celui de l'arthrite, à l'exception que la crainte et la critique de l'autorité sont plus marquées.

Ne pas oublier que dans toutes les maladies finissant en "ite", il y a de la colère refoulée qui est le plus souvent dirigée contre soi-même.

La **GOUTTE** ou **ARTRHITE GOUTTEUSE** peut se manifester chez une personne très dominatrice. Elle peut aussi s'attaquer à quelqu'un qui n'a pas vraiment le goût d'aller de l'avant dans la vie, qui se sent désespéré et qui n'a vraiment pas de but enthousiasmant pour l'avenir. Dans environ 50% des cas, elle s'attaque au gros orteil et affecte principalement les hommes. Dans ce cas, l'impatience et le désir de dominer sont accentués et ils concernent l'avenir. La personne qui en est affectée doit cesser de s'inquiéter pour l'avenir, faire la paix avec elle-même et avec les autres, et se trouver un but qui lui fasse plaisir au lieu d'agir avec l'impression qu'il lui faut travailler pour vivre.

Une **BRÛLURE** est déclenchée par de la colère qui vient d'une situation causant des sentiments violents. Et habituellement, la colère est dirigée contre soi-même. Souvenons-nous de ceci : chaque fois que nous vivons une colère, que nous n'acceptons pas ce qui se passe dans notre entourage, c'est que nous n'avons pas su voir l'amour dans la situation ou dans le comportement en cause, ou que nous voyons seulement le problème plutôt que tout ce qu'il y a à apprendre de cette expérience.

Les **CRAMPES** se manifestent chez une personne qui s'accroche, qui a peur et qui vit beaucoup de tension. Voilà un message qui te dit d'arrêter de t'accrocher. Il te demande de t'abandonner et de lâcher prise.

Les **KYSTES** viennent de douleurs du passé qui ont été trop longtemps entretenues. Ces excroissances proviennent du fait qu'on revit continuellement des souffrances passées en y mettant beaucoup d'énergie.

Les **ÉTOURDISSEMENTS**, les **VERTIGES** se produisent quand on ne veut pas regarder quelque part, qu'on veut se sauver d'une situation. Il est important d'apprendre à développer la joie de vivre et le sentiment qu'on est en parfaite sécurité. (Indication presque certaine d'hypoglycémie)

Un **ÉVANOUISSEMENT** est un signe de peur, d'impuissance face à la vie et d'incapacité à affronter une situation. En réalité, il s'agit d'un message du corps qui dit : "Vas-y ! Tu es capable ! Tu as tout ce qu'il faut pour y faire face !"

La **GANGRÈNE** démontre une joie de vivre qui est complètement envahie par des pensées empoisonnantes, par une très grande morbidité. Elle exprime la nécessité de ré-apprendre la joie de vivre.

Une **HERNIE** peut indiquer la non acceptation d'une rupture dans une relation, ou un grand désir de rupture non exprimé. Elle peut aussi se manifester chez une personne qui s'en veut, qui vit de la colère envers elle-même à cause d'une faiblesse qui l'empêche de véritablement créer sa vie à son goût. C'est une façon de se punir. C'est souvent caractéristique d'une personne qui trouve la vie lourde à porter. La **HERNIE DISCALE**: en plus de ce qui est mentionné plus haut, ça indique que la personne affectée voudrait plus de soutien ou d'appui mais qu'elle ne se donne pas le droit de se l'avouer et de l'avouer aux autres.

La **MALADIE DE HODGKIN** est liée à une grande culpabilité. La personne affectée ne se pense jamais assez bonne. Elle fera tout pour se faire accepter des autres. On la croirait en course pour essayer de prouver quelque chose ou pour se prouver. Non seulement elle ne se trouve pas bonne mais encore, elle a peur de se le faire dire. Cette attitude lui cause des désirs qu'elle n'arrive plus à contrôler.

L'**INSOMNIE** se produit chez quelqu'un qui a le mental trop rempli d'activité. Cette activité est influencée par la peur ou la culpabilité, et par le manque de confiance en la capacité de la vie de supporter tous les êtres. Elle se produit chez une personne nerveuse qui a du mal à contrôler ses systèmes de pensée, quels qu'ils soient. Par exemple, elle ne sait pas si ses pensées lui sont bénéfiques ou non. Elle change d'idée constamment. Il est grand temps que cette personne décide de penser moins et d'agir plus.

La **NARCOLEPSIE**, communément appelée **MALADIE DU SOMMEIL**, consiste à s'endormir continuellement ou à ne pas pouvoir s'arrêter de somnoler, de dormir. Elle indique l'incapacité d'affronter ou de venir à bout de quelque chose. Elle indique la peur, le refus d'évoluer et d'accepter sa vie telle qu'elle est, ou encore, l'impossibilité de changer ce qui rend sa vie insupportable. Cette impuissance et ce refus amènent la fuite dans le sommeil. La personne narcoleptique doit accepter qu'il y a un plan divin et qu'il y a toujours du support.

La **NÉVRALGIE** se produit souvent chez quelqu'un qui se punit à cause d'un sentiment de culpabilité. Elle affecte des personnes qui ont du mal à communiquer et qui, par conséquent, deviennent anxieuses.

La **PARALYSIE** cache une grande peur et constitue une manière de se sauver d'une situation. Il y a là de la résistance face à des circonstances qui ne vont pas dans la ligne voulue, et on y réagit en s'en évadant. Le message que comporte cette maladie est de se sentir adéquat en toute situation.

La **POLIOMYÉLITE** ou **PARALYSIE INFANTILE** se produit chez des personnes jalouses à l'extrême, d'une jalousie paralysante. La polio est la maladie des gens qui ont le désir d'arrêter quelqu'un d'autre. Le message de cette maladie est d'accepter qu'il y a abondance de tout pour tous et que la possession n'est jamais bénéfique pour qui que ce soit.

La **MALADIE DE PARKINSON** provient d'un fort désir de contrôler sur tout et tous. Il se cache évidemment encore beaucoup de peurs sous ce grand désir de contrôle. En voulant trop tout contrôler, on finit par perdre le contrôle. Le message ? Apprendre à se détendre et à faire confiance au processus de la vie.

La **RAGE** ou **HYDROPHOBIE** est une maladie infectieuse due au virus rabbique qui provient d'une morsure d'animal. Elle cst causée par la croyance en la violence comme moyen de solutionner des problèmes. La personne qui en devient victime refoule beaucoup de colère et de violence en elle-même.

Tout problème relié aux **ARTÈRES** indique un manque de joie de vivre. Le sang représente la joie de vivre et les artères transportent cette joie partout en soi. La joie doit circuler davantage, c'est-à-dire constamment et non seulement en certaines occasions.

Le **RHUMATISME** se retrouve chez une personne qui a l'impression d'être "victime". Elle a du mal à dire "non" et acquiesce souvent alors qu'elle aurait en réalité le goût de faire le contraire. Voilà une autre maladie provenant du sentiment de ne pas être aimée et de devoir faire toutes sortes de pirouettes pour gagner l'amour des autres. L'insuccès de cette entreprise de conquête provoque amertume et ressentiment.

La **LEUCÉMIE** ou **CANCER DU SANG**. Le sang représente la joie de vivre, et le cancer est provoqué par une haine refoulée. La leucémique n'a aucune joie, aucune motivation à vivre. La haine circule en elle et est entretenue par la pensée : "Qu'est-ce que ça donne ?" Cette maladie est fréquente chez les enfants. Ceux qui en sont affectés n'ont pas du tout accepté de renaître. Ils sont très déçus par ce qui se passe sur la terre.

Les problèmes du **SYSTÈME LYMPHATIQUE**. La lymphe est un liquide qui circule dans les vaisseaux lymphatiques et qui baigne toutes les cellules du corps, permettant ainsi les échanges nutritifs. Elle contient des globules blancs qui nous protègent contre les attaques des microbes. Une personne qui a des problèmes lymphatiques reçoit ainsi l'avertissement de changer de façon de penser sur les choses essentielles de la vie. Elle doit apprendre à bien placer ses priorités, à exprimer la joie de vivre et l'amour.

Le **TEIGNE**, qui est une maladie du cuir chevelu et des poils, se retrouve surtout chez des personnes qui se laissent beaucoup déranger par les autres. Ces personnes ne se sentent pas assez belles ni assez bonnes ou pures et elles laissent les autres prendre du pouvoir sur elles.

Le **TÉTANOS** est une autre manifestation de colère intérieure intense et refoulée. Sa victime entretient beaucoup de pensées malsaines qu'elle est incapable d'exprimer. Au lieu de cela, elle les étouffe en elle-même, elle les ravale.

La **TUBERCULOSE** est une maladie qui peut s'attaquer à divers organes, pas seulement aux poumons. Elle trouvera des victimes chez des personnes très égoïstes et possessives et qui ruminent des pensées de vengeance. Ces personnes ont grand intérêt à apprendre à aimer.

Les **TUMEURS** ou **KYSTES** ou **POLYPES** se développent chez des personnes qui alimentent des souffrances du passé, des chocs affectifs ou qui ont de nombreux remords. Le message? S'exprimer, développer des sentiments d'amour, tourner la page sur le passé.

Un **ABCÈS** est une infection qui produit du pus. Il s'agit d'une création venue de pensées inadéquates, malsaines. Dans ses pensées comme partout ailleurs, si on ne fait pas le ménage, la saleté et l'infection s'installent. Il est donc grandement temps de faire le ménage quelque part dans tes pensées. Au lieu d'entretenir des pensées de vengeance pour un tort qu'on t'a fait dans le passé, il est préférable de nourrir de belles pensées d'amour envers les gens, et d'arrêter de donner de l'importance à des aspects désagréables du passé. Pour bien comprendre le message, vois quelle partie de ton corps est affectée par l'abcès. Si c'est aux organes génitaux, il s'agit d'un problème relié à ta vie amoureuse ou sexuelle. S'il s'agit d'une oreille, c'est en rapport avec quelque chose que tu entends, et ainsi de suite.

La personne qui souffre d'**ANÉMIE** a perdu la joie de vivre et a du mal à accepter de poursuivre son expérience de vie. L'anémie est une faiblesse du sang, et le sang représente la joie de vivre. Il est très important pour la personne anémique de commencer à regarder autour d'elle, dans sa famille, son entourage, son travail pour y découvrir de la joie. Chaque être humain est une cellule de cette grande entité qu'est la **Terre** et chaque cellule se doit d'être en santé pour que la **Terre** recouvre la santé.

Un problème de **GLANDES** se manifeste chez quelqu'un qui a de la difficulté à passer à l'action. Son corps lui dit de se fier à lui-même, à sa créativité et d'agir.

Les problèmes de **GANGLIONS** enflés sont dus à une situation de regret. Quelque chose ne va pas au goût de la personne qui en souffre. Elle n'exprime pas ce sentiment qui se ramasse donc quelque part dans son corps. Encore une fois, il est important de remarquer l'endroit du corps où l'enflure se manifeste afin d'en décoder le message. Cette personne a tout intérêt à exprimer ce qu'elle vit au lieu d'entretenir des regrets. L'exercice de sa créativité dans quelque chose de plaisant lui sera aussi d'un précieux secours.

Une **HÉMORRAGIE** est une perte de sang soudaine et assez violente. Elle affecte une personne qui s'est longtemps retenue face à une situation, et qui perd sa joie de vivre. La peur, l'angoisse l'ont retenue pendant longtemps. Puis, fatiguée de se retenir, lassée de tout, elle lâche soudainement prise et toute sa joie la quitte. Voilà un message du corps qui dit à cette personne d'apprendre à regarder autour d'elle pour y découvrir de la joie. En effet, il est impossible qu'il n'y ait pas de joie dans la vie d'une personne si elle met de l'énergie à la découvrir plutôt que de s'arrêter uniquement à ses problèmes.

La **MALARIA** ou **PALUDISME** est une maladie qui provoque de violentes poussées de fièvre causée par de la colère. Elle se produit chez une personne qui a vécu une situation vraiment dérangeante et qui en a gardé beaucoup de rancoeur. Il se peut aussi que cet excès de colère ait été déclenché par quelqu'un. Pour s'en libérer, le corps se sert alors de la fièvre. En plus de sa libération physique, la personne doit faire son processus mental et émotionnel de libération avec la personne impliquée.

Le **MAL DE MER**, le **MAL D'AUTO** et le **MAL DE L'AIR** sont des réactions de nausée parfois assez violentes que certaines personnes éprouvent quand elles se trouvent en bateau, en auto ou en avion. Ces personnes ont le sentiment qu'elles vont perdre le contrôle si elles n'ont pas le pied sur le sol. Ces malaises comportent le message que ces "victimes" ne prennent pas conscience du fait qu'elles ont la maîtrise de leur vie, que leur pouvoir leur appartient pour qu'elles l'exercent. A partir du moment où elles décident d'exercer ce pouvoir, elles prennent conscience qu'elles ne courent aucun risque de perdre le contrôle de leur vie. Les personnes qui ont peur de perdre le contrôle sont souvent portées à vouloir tout contrôler. En laissant les autres être et faire ce qu'ils veulent, et en s'occupant d'elles-mêmes, elles vont reprendre contact avec leur pouvoir. Il faut noter que ces malaises sont aussi fréquemment reliés à la peur inconsiente de la mort.

Une forte **TRANSPIRATION** se produit chez une personne qui se retient, qui refoule en elle ce qui ne fait pas son affaire, soit par désir d'être polie, par peur de blesser, ou tout simplement parce qu'elle n'a aucune envie qu'on sache ce qui se passe en elle. Et tout cela ressort en transpiration. Le liquide du corps représente l'aspect émotionnel de l'être, et les émotions qui débordent sont un signal important de la nécessité de s'exprimer aux gens concernés.

Les **VERS PARASITES** se retrouvent très souvent chez les enfants qui se sentent obligés d'avaler des idées contraires aux leurs. Ils éprouvent de la tristesse parce que la communication avec les adultes n'est pas de leur goût. Par exemple, les enfants ont compris ce qu'est la notion d'amour et, quand ils voient les adultes vivre comme ils le font, cela les dérange énormément. Il s'agit là d'un message à l'effet qu'ils ne sont pas obligés d'avaler des idées qui ne leur conviennent pas : personne n'est obligé de répondre à tous ceux qui prennent la liberté de frapper à sa porte !

Un **VIRUS** est une agression venue de l'extérieur. Il signifie que tu te laisses perturber par un incident, une situation ou par quelqu'un. En prenant conscience de ce qui te dérange, tu arriveras à te connaître davantage. (Revoir le chapitre "Tu es ce que tu vois.") L'endroit du corps où le virus s'infiltre te donnera des indices précieux pour découvrir les causes de son intrusion dans ton organisme.

La **FIBROSE KYSTIQUE** se manifeste chez quelqu'un qui croit que rien ne peut aller dans sa vie. C'est l'attitude : "Pauvre de moi !" Ce message lui dit qu'il est temps de se prendre en main, d'accepter qu'elle est une manifestation de **DIEU** tout comme chacun des humains.

Le **RACHITISME** est une maladie qui affecte surtout les enfants. Il est le signe d'une malnutrition sur le plan affectif. Même si l'enfant est aimé de ses parents, il ne le sent pas et manque de sécurité affective. Pour aider cet enfant, les parents doivent l'amener à être à l'écoute de ses propres besoins plutôt que de ceux de ses parents.

La **SÉNILITÉ** est une manière de retourner à la sécurité de l'enfance avec tout le soin et l'attention que celle-ci demandait. Tout en étant une fuite, la sénilité est une façon de contrôler son entourage. La personne atteinte de sénilité aurait intérêt à prendre conscience du fait que la protection divine est là à tout âge et qu'il n'est nullement nécessaire de fuir pour obtenir de l'attention. Il s'agit simplement d'en semer si on veut en récolter.

L'**ARTHROSE** est une maladie des articulations qui se produit généralement chez quelqu'un qui est trop rigide envers lui-même ; Une personne qui s'en demande trop et qui aurait intérêt à changer la motivation qui la pousse si fort. Ça peut être aussi chez une personne qui a l'impression d'endurer une situation ou une autre personne depuis longtemps. Son corps lui dit d'être plus flexible et de s'intéresser au bonheur des autres selon leur choix plutôt que de vouloir les changer.

La fièvre **SCARLATINE** est caractérisée par une forte fièvre, mal de gorge, enflure des ganglions de la mâchoire, mal de tête et vomissement. Aussi il y a donc plusieurs messages reliés à cette maladie. Le message de base est une très grande colère refoulée (assez pour que le corps en devienne rouge) envers quelqu'un d'autre et elle-même. Son corps lui dit qu'il est grand temps d'exprimer ce que cette personne ressent dans son for intérieur, ses peurs, etc. Aussi aller voir dans le livre les messages de *fièvre*, *gorge*, *ganglions*, *mâchoire*, *mal de tête* et *vomissements*

EN PLUS DU MESSAGE DÉCRIT POUR CHAQUE MALADIE, JE SUGGÈRE DE TE POSER LA QUESTION SUIVANTE : "CETTE MALADIE M'EMPÊCHE DE FAIRE, DIRE OU RÉALISER QUOI ?"

Pour conclure cette longue liste des maladies les plus courantes, j'aimerais te demander de réfléchir longuement à la réalité suivante : tu n'as pas besoin de pilules, de traitements ou de prières pour recouvrer la santé. Tu dois simplement devenir consciente du fait que **TU ES SANTÉ. LA VIE PARFAITE DE DIEU NE VIEILLIT PAS ET NE PEUT PAS ÊTRE MALADE. EN TANT QU'EXPRESSION DE DIEU, TON ÉTAT NORMAL EST LA SANTÉ SOUS TOUTES SES FORMES**. La vie est toujours entière et circule à travers toi dans la mesure de ton acceptation et de ta connaissance de ses lois. Si tu as un malaise ou une maladie, c'est que tu bloques le flot de cette vie par des pensées, des paroles ou des actions qui sont contraires aux lois divines de l'amour.

Pour rétablir en toi l'harmonie et la santé parfaites de **DIEU**, voici une affirmation que tu peux utiliser à chaque moment du jour, spécialement lorsque tu sens en toi de l'incompréhension ou de la résistance face au message que ton corps te donne :

MON CORPS EST L'EXPRESSION PARFAITE DE DIEU, ET J'OUVRE MON ESPRIT, MON COEUR ET MON CORPS À LA CONSCIENCE DE CETTE PERFECTION ABSOLUE PRÉSENTE EN CHACUNE DE MES CELLULES.

Lorsque tu affirmes cette vérité, visualise de la lumière en toi. Commence par la région du coeur. Vois cette lumière brillante comme un petit soleil. Laisse grandir ce soleil jusqu'à ce qu'il baigne chaque cellule, chaque partie de ton corps. **RÉALISE QUE TON CORPS ENTIER EST LUMIÈRE**. Retiens cette vision intérieure pendant au moins une minute en répétant cette affirmation.

Il y a deux autres affirmations que **JÉSUS** est venu nous enseigner et qui ont un effet rapide et puissant pour se libérer de n'importe quel malaise venu de la peur, de l'angoisse, du doute ou de l'insécurité.

TU ES TES MALAISES ET MALADIES

Répète avec conviction la phrase suivante :

JE SUIS LA RÉSURRECTION ET LA VIE.

Dis-la en acceptant que c'est toi qui crées ta vie par ta croyance intérieure. "Résurrection" signifie retour de la mort à la vie. Continuellement, à chaque instant, plusieurs millions de cellules nouvelles naissent en toi, dans un processus de vie sans cesse renouvelé. Prends conscience du grand pouvoir qui est en toi pour te recréer sans cesse.

La deuxième affirmation, le **NOTRE PÈRE**, a aussi des effets miraculeux et rapides. C'est la seule prière que **JÉSUS** nous ait laissée. Quand tu t'adresses à **DIEU LE PÈRE**, ne pense pas à un vieux monsieur très affairé qui va peut-être t'exaucer s'il s'adonne à trouver le temps de t'entendre. Pense que tu t'adresses à ton **DIEU INTÉRIEUR** qui a le pouvoir de créer tout ce que tu lui demandes avec **FOI**. Quand tu dis : **QUI ES AUX CIEUX**, cela s'adresse à la partie la plus élevée de toi, ton ciel intérieur. C'est alors que tu portes toute ton attention sur le dessus de la tête en y voyant le **Soleil Christique** qui rayonne d'une lumière extraordinaire. Tu te fusionnes à cette énergie en contemplant les mots du **NOTRE PÈRE**.

***« VIS
COMME SI C'ÉTAIT TA DERNIÈRE JOURNÉE
SUR TERRE, CAR
UN JOUR TU AURAS RAISON ! »***

CHAPITRE 12
TU ES LUMIÈRE

Chaque être humain est constitué de **LUMIÈRE**. Présentement, le corps de lumière des gens n'est pas visible pour la plupart d'entre nous, mais il est quand même tout à fait réel. Le désir fondamental de tout être est d'atteindre une plus grande perfection, de devenir de plus en plus "**LUMIÈRE**". C'est cela que **JÉSUS** est venu nous enseigner et il a prouvé que c'était possible. Il l'a démontré devant trois de ses disciples à la Transfiguration: il est devenu **LUMIÈRE**. De même au moment de son Ascension. Plusieurs centaines de personnes ont vu son corps devenir **LUMIÈRE** avant qu'il ne disparaisse de leurs yeux pour passer à la quatrième dimension.

Présentement, nous vivons la troisième dimension. Avec l'**Ère du Verseau**, qui en est à ses débuts et qui durera environ 2000 ans, la Terre entière est conviée à passer de la troisième à la quatrième dimension. Ce processus est déjà amorcé, et c'est pourquoi nous constatons une grande ouverture d'esprit pour des cours, des conférences et des enseignements spirituels. Nous voulons en savoir davantage. Nous savons au coeur de notre être que, même si nous avions tous les biens matériels possibles, il y aurait encore quelque chose qui manque. C'est ce sentiment profond et généralisé qui amène une grande évolution sur la terre présentement.

Comme tu sais, tout ce qui vit doit croître, et la croissance implique un changement. La Terre en est arrivée à ce grand changement qui était déjà prévu depuis des milliers d'années et que toutes les grandes prophéties de la Bible ou d'ailleurs ont constamment annoncé. Ce changement marque la fin d'un monde et le début d'un autre **monde**. Voilà de quoi on parlait quand il était question de la fin du monde prévue pour la fin de ce siècle.

Nous sommes tous appelés à irradier cette lumière que nous sommes. Le corps de lumière que nous aurons continuera d'être un corps visible et tangible. Nous en aurons la maîtrise parfaite, ce qui nous permettra de communiquer facilement avec d'autres expressions de la Vie sur différents plans dans l'univers. Nous pourrons modifier notre taux vibratoire à volonté et, en se synchronisant au taux vibratoire des divers éléments, nous pourrons par exemple, marcher dans le feu ou sur l'eau comme **JÉSUS** l'a fait. Ce corps-là ne connaîtra plus la maladie. Cette mutation est appelée à se réaliser dans les quelques siècles à venir. Déja, plusieurs milliers d'humains sont en contact avec une partie de leur corps de lumière.

Comment en venir à laisser sa lumière intérieure resplendir de plus en plus? Tout simplement en s'entourant de beauté, de lumière et d'amour, ce qui nous aide à prendre conscience de notre lumière intérieure. Au fait, lumière et amour sont équivalents. L'expression de l'amour est le moyen terrestre de faire jaillir sa lumière. Car, avec l'énergie maintenant dirigée vers la terre, chacun doit s'identifier à sa lumière intérieure. Plus vite on devient conscient de cette lumière et plus vite on se libère d'un karma accumulé depuis de nombreuses vies, pour vivre un bonheur toujours plus grand.

Je réexplique la notion de karma car nombreuses sont

celles qui ont du mal à la comprendre. Ce mot karma s'applique à la croyance selon laquelle la destinée d'un être vivant et conscient est déterminée par la totalité de ses actions passées, dans ses vies antérieures. Il s'agit d'un processus automatique commun à toute la race humaine. Tant que l'évolution d'une personne n'est pas complétée, elle doit revenir vie après vie pour l'achever. L'âme arrive en transportant avec elle, sous forme de vibrations, le résultat de ses actions passées, bénéfiques ou non. La loi dit que nous devons revenir afin de vivre ce que nous avons fait vivre aux autres. Nos vibrations nous attireront des situations par lesquelles nous aurons à vivre ce que nous avons pu faire vivre à quelqu'un d'autre, et en devenir ainsi conscientes. C'est de cette manière que nous nous débarrassons des fardeaux accumulés dans le passé. Ces fardeaux proviennent d'actes que nous avons posés à un moment ou l'autre et qui n'étaient pas bénéfiques, qui allaient à l'encontre des lois de l'amour. Si, par exemple, au lieu d'en vouloir beaucoup à tes parents, tu commences à ressentir de l'amour pour eux, à voir qu'ils ont agi au meilleur de leur connaissance et que tu n'avais aucun droit de les juger, aussitôt que tu commences à accepter qu'ils t'ont aimée de leur mieux ou qu'ils étaient peut-être très souffrants dans leur vie, alors tu viens d'ouvrir ton coeur, de faire un acte d'amour. Automatiquement, une lumière nouvelle s'accumule autour de toi. Si, en plus de ressentir de l'amour, tu as des pensées et des paroles remplies d'amour envers eux, ta lumière grandit davantage. Si tu poses aussi des gestes pour leur montrer davantage que tu les aimes, alors tu accumules de plus en plus de lumière autour de toi.

La loi du karma est donc une chance de plus pour chacun de retourner à la lumière. Quant aux actes d'amour que nous avons faits dans le passé, ils s'accumulent sous forme de lumière autour de nous. Plus une personne a accumulé de lumière au cours de ses vies antérieures, plus elle est protégée, plus elle nous donne l'impression de toujours retomber sur ses deux pieds dans n'importe quelle circonstance.

Une autre manière d'accumuler de la lumière, c'est de garder sans cesse le contact avec **DIEU qui est lumière.** Tout ce qui t'arrive, tout ce que tu regardes, tout ce que tu entends, tout ce qui se passe en toi doit t'aider à prendre contact avec cette grande énergie divine qui remplit l'univers.

La méditation quotidienne est un bon moyen d'entrer en contact avec sa lumière intérieure. N'importe quelle forme de méditation est valable tant qu'elle crée en toi un silence et t'aide à arrêter de penser.

L'exercice d'imagerie mentale suivant est aussi un bon outil: prends contact avec cette belle lumière qui remplit ton coeur. Vois-la grandir au point de remplir ton corps complètement. Puis, observe-la qui sort de toi et t'enveloppe. Tu baignes littéralement dans cette merveilleuse lumière. Fais cet exercice le matin au réveil. Tu passeras une journée différente! Tu peux constamment te voir, te visualiser baignée dans cette lumière. Quand tu arrives quelque part, vois ta lumière qui remplit les lieux, la pièce où tu entres, comme un grand faisceau rayonnant qui t'ouvre la voie et illumine tous les endroits où tu te présentes. Fais aussi en sorte que ta lumière embrasse toutes les personnes avec lesquelles tu entres en contact. Vas-y! Ça ne coûte rien! Il y a de la lumières en quantité illimitée dans l'univers. Il s'agit seulement de prendre contact avec elle, et d'en être consciente. Si tu fais cela régulièrement, pendant plusieurs mois, il se produira de grandes transformations dans ta vie. Plus tu t'identifieras à la lumière, plus tu deviendras un rayon de soleil qui éclaire et réchauffe tout ce qui t'entoure.

Parfois, tu auras l'impression de passer par des périodes de vie très noires. Tu te demanderas alors: "Qu'est-il arrivé à ma lumière?" Ces phases sont tout à fait normales! Elles font partie du grand nettoyage que tu accomplis présentement. Elles sont l'expression de la loi du rythme. Tu sais, la période la plus sombre de la nuit se trouve juste avant l'aube. Il est naturel que nos périodes difficiles, nos périodes noires se produisent juste avant que la lumière resplendisse. Par ailleurs, si tu observes quelqu'un qui veut sauter très haut, tu constateras que la meilleure technique consiste à se pencher très bas pour mieux prendre son élan. Cet exemple illustre le pourquoi des périodes si difficiles de la vie. Elles se produisent parce que tu t'apprêtes à t'élancer, à faire un grand pas en avant. Ne te décourage jamais!

Tout au long de la route qui te conduit à la conscience de ta lumière intérieure, tu vas te faire arriver des tests passagers, un genre d'épreuve pour vérifier si c'est bien ce que tu désires, si tu as vraiment décidé d'aller dans cette direction. Et quand tu passes le test sans découragement, que tu continues ton chemin, c'est comme à l'école: tu montes de classe! Et tu n'auras jamais plus besoin de passer ce test-là.

Tu sais, nous prenons réellement la vie beaucoup trop au sérieux. En fait, la vie est un jeu! Le gros problème des humains, présentement, c'est d'essayer de jouer ce jeu sans en avoir lu les instructions au préalable, sans en connaître les règles. **JÉSUS** est venu il y a près de 2000 ans nous enseigner ces règles. Nous commençons à peine à comprendre son message et à tenter de l'utiliser. **JÉSUS**, qui était notre modèle, proclamait: "**Je suis la Lumière du monde**". Son rôle était de nous enseigner que **DIEU est Amour.**

Un moyen fantastique de manifester sa lumière intérieure est l'expression de l'amour. Nous devons prendre conscience de l'amour dans lequel nous baignons et qui nous remplit. Là encore, il faut s'exercer à faire jaillir cet amour en partant de l'intérieur de soi. La meilleure méthode pour y parvenir consiste à s'aimer soi-même, à s'admirer, à se faire des compliments, à noter chaque jour toutes les belles choses qu'on voit et qui nous arrivent. Si tu prends le temps de t'exercer à être reconnaissante pour cette belle énergie créatrice qui vient de toi et qui crée ton monde, toute ta vie en sera transformée. Tu réaliseras qu'il t'arrive bien peu de désagréments en comparaison des centaines de belles choses qui remplissent tes journées.

Jusqu'à présent, les humains ont plutôt été portés à s'attarder aux choses négatives. Nous sommes devenus des spécialistes du jugement, de la critique et de la condamnation de tout et de tous. Chaque fois que nous jugeons, critiquons ou condamnons quelqu'un d'autre, nous disons: "Je suis **DIEU**, et toi, tu ne l'es pas!" Voilà ce qui s'appelle se prendre pour le nombril du monde! Avant de juger, de critiquer ou de condamner, sois bien attentive et observe ce qui t'appartient. Rentre en toi-même et commence à t'améliorer. Chaque fois que tu découvres des attitudes ou des paroles qui ne te sont pas bénéfiques et que tu transformes ta vision de ces choses, tu modifies la qualité de ton âme et tu deviens lumière. Toutes les conditions de ta vie se transforment, et celle-ci devient différente. Tu auras même l'impression que tout le monde autour de toi se transforme mais en fait, le grand changement s'est produit en toi.

TU ES LUMIÈRE

Tu dois être ferme quand tu décides de croître et de laisser jaillir ta lumière. Il y aura souvent des gens ou des circonstances qui vont te donner l'impression de vouloir freiner ton élan. En réalité, personne au monde ne peut te détourner de ton désir. Tu es la seule personne capable de donner ton pouvoir à quelqu'un d'autre. Ce qui est malheureux, c'est que souvent nous donnons notre pouvoir à quelqu'un d'autre au nom de l'amour. Nous nous laissons influencer par la personne aimée en raison de cette vieille peur de ne pas être aimées ou d'être rejetées si nous ne suivons pas la même direction que l'autre. Et quand quelqu'un essaie de t'influencer pour te faire changer d'idée ou de choix de vie, c'est tout simplement le signe que tu n'es pas encore très sûre de ta direction. L'autre vient te faire subir un test parce qu'en fait, le doute qui émane de toi l'attire dans ta vie. Ce doute, dans ton champ vibratoire, s'exprime ainsi: "Ai-je bien raison? Ai-je pris la bonne décision?" et automatiquement, quelqu'un se trouvera sur ton chemin pour te poser ces questions-là!

C'est donc toi seule qui peux vraiment te prendre en main. Entre en toi-même, prends le temps de bien analyser et décide ensuite ce que tu veux faire. Cette analyse est une des activités où ton intellect devient un très précieux collaborateur. Regarde ta vie passée et compare-la à ta nouvelle orientation. Etais-tu plus heureuse alors? Etais-tu mieux dans ta peau? En meilleure santé? Y avait-il beaucoup d'amour dans ton entourage? Te sentais-tu remplie d'amour ou devais-tu chercher autre chose pour te sentir bien? Il n'y a que toi pour décider du meilleur chemin à prendre pour t'amener à prendre contact avec ta lumière intérieure. La réponse est en toi!

En réalité ce ne sont pas les faits ou les événements qui

arrivent dans ta vie qui comptent mais plutôt ta réaction à ceux-ci. Toi seule as le pouvoir de faire briller ta lumière. Finalement, ce n'est que toi qui peux choisir!

Ta lumière est comparable à une ampoule électrique ordinaire comme celles dont nous nous servons dans nos maisons. Ses filaments sont en bon état? Elle est branchée correctement? Alors cette ampoule est lumière, et cela, indépendamment de sa dimension, de sa forme ou de sa couleur. Et qu'importe ce à quoi elle a pu servir dans le passé, si elle est en bon état et branchée correctement, elle s'allume automatiquement. Cette analogie vise à exprimer que la manifestation de ta lumière intérieure obéit à des lois analogues. Cependant, ta lumière a beaucoup plus d'impact en puissance et en intensité. Dès que les dimensions physique, mentale et émotionnelle de ton être sont harmonisées, dès que tu es branchée à la source du pouvoir intérieur, **DIEU**, qui s'exprime à travers toi, ta lumière jaillit très loin autour de toi. Et cette lumière, en plus de t'éclairer, illumine tous ceux qui se trouvent dans ton environnement. Elle te garde constammment dans sa clarté afin que tu puisses toujours y voir clair.

Nous n'avons pas à créer de la lumière: celle-ci est déjà là en nous! **NOUS SOMMES DÉJÀ LUMIÈRE!** C'est la réalité à laquelle il est important de s'éveiller. Nous devons aussi nous éveiller à l'importance de prendre contact avec cette lumière et de la faire rejaillir. On entend des gens dire: "Je vais faire entrer de la lumière au-dedans de moi! Je vais me brancher à la lumière!" Ces gens croient que la lumière vient de l'extérieur. Quand on utilise l'expression "se brancher à l'énergie tellurique ou à l'énergie cosmique", on ne veut pas dire que l'énergie viendra de la terre ou du cosmos! On doit plutôt utiliser cette expression pour se dire: "Je prends conscience de ma lumière intérieure et je m'unis ou je me branche avec celle de la terre et du ciel." Voilà une autre manière de développer la conscience de l'unité. Et dans cette unité, l'être humain découvre qu'il peut tout accomplir: rien ne lui est impossible.

La même chose se produit pour les gens qui disent avoir hâte que l'abondance leur arrive. Elle n'a pas à arriver: elle est déjà là! Elle est en toi: **tu es l'abondance!** Tu n'as qu'à prendre contact avec ce grand pouvoir qui est en toi! Malheureusement, nos pensées ont la capacité de nous faire perdre ce contact: cela se passe exactement comme si je fermais l'interrupteur en entrant dans une pièce. Cela ne veut pas dire qu'il n'y a plus d'électricité! Celle-ci est toujours là, et je n'ai qu'à actionner le bouton pour que la lumière brille à nouveau. De même, ce n'est pas en ouvrant mon rideau que je fais tout à coup briller le soleil! Le soleil était déjà là. La réalité est que personne au monde ne fait apparaître le soleil dans le ciel ou ne fait arriver l'abondance dans sa vie. Tout ce que nous avons à faire est de prendre conscience que l'abondance est déjà là, de même que le soleil et l'électricité.

C'est encore la même chose en ce qui a trait à la santé. **TU ES LA SANTÉ**. L'absence de santé est comme l'absence de lumière. Prends conscience de la réalité des choses: la santé est la condition normale de l'être humain.

Beaucoup de gens prient **DIEU** en lui demandant de les éclairer, de les guérir, de leur donner l'abondance, de les guider. La plupart d'entre nous avons appris à prier de cette façon, mais c'est une preuve de plus qu'on se sent séparées de la Source. Prends conscience que **DIEU, LA SOURCE**, est en toi et qu'elle s'exprime à travers toi. Ainsi donc, au lieu de demander à **DIEU** de t'aider pour quoi que ce soit, commence plutôt à affirmer que **DIEU** est lumière et que, quand tu es en contact avec ta lumière intérieure, tu es **DIEU** en expression. Il est vraiment important de développer cette conscience de l'unité et d'entrer en contact avec ta puissance divine plutôt que de chercher des réponses ou de l'aide en dehors de toi.

Trouve des moyens qui vont t'aider, toi, à prendre contact avec ta lumière. Mais d'abord et avant tout, le moyen principal consiste à utiliser tes sens pour entrer en contact avec **DIEU**. Si tu trouves beau tout ce que tu vois, tu auras l'impression que tout devient de plus en plus lumineux, que les gens deviennent de plus en plus rayonnants. En tout ce que tu entends, ne fais qu'entendre des expresssions de la beauté, des paroles d'amour! Sois attentive aussi à n'éprouver que de bons sentiments. Et quand tu touches, qu'il s'agisse d'une autre personne, d'un arbre, d'un animal, de ton auto ou d'une fleur, fais-le avec amour! Pense que tu touches **DIEU**. Que tout ce que tu possèdes dans le monde matériel te ramène constamment à **DIEU** et à ta propre puissance créatrice divine. Quand tu manges, aie l'impression de communier, de te nourrir de lumière.

Il y a encore les paroles qui te sortent de la bouche: que tes paroles puissent valoriser tout le monde, y compris toi-même! Chaque fois que tu ouvres la bouche, prends le temps de t'assurer que ce que tu vas dire souligne ta valeur ou celle de l'autre. Mets constamment en relief la beauté qui existe.

Nous vivons dans un univers spirituel, et nous sommes entourées de millions d'êtres et de choses qui peuvent sans cesse nous rappeler **DIEU**. Cette réalité intérieure a le pouvoir de métamorphoser nos vies, et notre comportement ne peut que témoigner de cette transformation. Quiconque y croit et se maintient dans cette conviction envers et contre tout, devient infailliblement vainqueur. Les gens qui entrent dans cette énergie vivent vraiment d'une façon extraordinaire et dégagent un bonheur qui ne trompe pas. Ressentir cette joie intérieure et l'exprimer dans son entourage, n'est-ce pas le but de toute vie? C'est alors seulement qu'on peut dire en toute vérité: "Je suis la lumière de mon univers".

Voici une affirmation que tu peux répéter à tout instant du jour ou de la nuit jusqu'à ce que tu en ressentes l'absolue vérité dans chacune des fibres de ton être. **En affirmant cette vérité, visualise-toi comme un ÊTRE DE LUMIÈRE:**

« JE SUIS DIEU, DIEU JE SUIS. »

Et pour terminer ce chapitre et ce livre, je te laisse avec la pensée suivante:

« LORSQUE LA PUISSANCE DE L'AMOUR
AURA REMPLACÉ
L'AMOUR DE LA PUISSANCE,
L'HOMME
PORTERA UN NOM NOUVEAU:
DIEU. »

Sri Chinmoy

POSTFACE

Quand on achète un livre, il est assez habituel de le lire d'un trait. Rares sont ceux qui s'arrêtent à chaque chapitre, à chaque page pour en asssimiler le contenu. Cependant, ce serait la seule méthode qui permette de ne pas gaspiller son argent en achetant livre après livre qu'on lit et range ensuite sur un rayon de sa bibliothèque. Une bibliothèque bien garnie n'est pas une preuve d'évolution réelle. Elle est simplement le signe d'un grand appétit de savoir. Pour faire un bond en avant sur la route du cheminement spirituel, il est essentiel d'assimiler amoureusement le contenu des livres qui nous intéressent. Avant donc de déposer ce livre sur ton étagère et de laisser la poussière du temps se poser sur lui, je t'invite à le reprendre au début, à la préface, et à en suivre tranquillement les instructions. Ce sera une décision qui t'apportera un enrichissement insoupçonné.

BIBLIOGRAPHIE

You can heal your life, Louise Hay (Hay House)

Body signs, Hilarion (Marcus Books)

Symbols, Hilarion (Marcus Books)

Season of the spirit, Hilarion (Marcus Books)

Threshold, Hilarion (Marcus Books)

Answers, Hilarion (Marcus Books)

More answers, Hilarion (Marcus Books)

Nature of reality, Hilarion (Marcus Books)

Collection de la psychologie moderne (une édition spéciale de Laffont Canada Ltée)

Vivre, un métier qui s'apprend, Jean-Louis Victor (Louise Courteau Editrice)

Les paroles du corps, Edouard Korenfeld (Payot, Paris)

Pour une médecine de l'âme, Marguerite de Surany (Guy Trédaniel Editeur)

Vivez dans la lumière, Shakti Gawain (Le Soufle d'Or)

La médecine au foyer, Grolier Ltée

Le Centre de croissance
Écoute Ton Corps

(Fondé en 1982 par Mme Lise Bourbeau)

Comme tu l'as constaté, ce livre fait référence à certaines habitudes qui sont non bénéfiques.

Nous offrons des cours de groupes dans différentes régions du Québec, pour te permettre de mieux intégrer cette approche qui t'est peut-être nouvelle. Des animateurs compétents et dynamiques enseignent cette philosophie de vie qui peut t'aider à devenir de plus en plus conscient(e) de ce que tu peux créer dans ta vie.

Si tu désires poursuivre ton cheminement dans la découverte de ton "moi intérieur", nous sommes là.

Nous t'invitons à venir assister
✦ *SANS FRAIS* ✦
à un cours d'une durée de 3 heures.

---

pour information
(514) 382-7361
sans frais d'interurbain
1-800-361-3834

Pour le grand public: Écoute Ton Corps organise des conférences mensuelles où Lise Bourbeau traite de sujets brûlants d'actualité.

Pour les organismes et associations: Lise Bourbeau est une conférencière chevronnée qui saura vous entretenir sur une variété de sujets pouvant intéresser vos membres.

INFORMEZ-VOUS!

Le nouveau
CENTRE DE PAIX ET DE SANTÉ ÉCOUTE TON CORPS

Le Centre de Paix et de Santé a ouvert ses portes à Bellefeuille le 26 janvier 1991.

Situé dans un endroit paisible et agrémenté d'arbres majestueux ainsi que d'un lac naturel, c'est l'endroit rêvé pour s'accorder des vacances dont le concept est unique au Québec.

Pouvoir se reposer, se faire dorloter, se libérer du stress, s'accorder du temps pour se réénergiser à tous les niveaux tout en baignant dans une philosophie d'amour.

A titre d'exemple:

- Exercices et méditation de groupe;
- Massage et Shiatsu;
- Lavage du colon;
- Traitements du corps énergétique;
- Rencontres de groupe tous les jours avec sujets différents;
- Consultations privées;
- Activités de plein air, etc.

Enfin une vacance qui aide à trouver la source du mal au lieu de changer le mal de place.

Pour plus d'informations, veuillez appeler au:
(514)382-7361 région de Montréal
1-800-361-3834 sans frais d'interurbain

Un best-seller, 150 000 copies vendues

ÉCOUTE TON CORPS
– Ton plus grand ami sur la terre –

L-01 — Prix: 16,00$
(Taxes incluses)

Livre

Grâce à sa persévérance et à sa foi profonde, LISE BOURBEAU apporte, par son vécu, un grand message.

De plus, elle prouve continuellement qu'en s'aimant et en acceptant son DIEU intérieur, tout devient possible.

Son but est de toujours continuer à s'améliorer ainsi qu'aider les autres à se guérir. Son désir profond consiste à permettre au plus grand nombre possible de gens de découvrir leur potentiel c'est-à-dire apprendre à s'aimer et à s'accepter.

Son livre offre une occasion d'apprendre de façon active — grâce aux exercices pratiques qui ponctuent chaque chapitre. On récolte ce qu'on sème, et en semant de l'amour, on ne peut qu'en récolter!

(Disponible aussi en anglais!)

Cassette

ED-01 — Prix: 13,81$
(Taxes incluses)

Idéale pour les gens pressés, les auditifs, les analphabètes et les non-voyants, cette cassette audio d'une durée de 100 minutes environ est une adaptation du texte original du livre ÉCOUTE TON CORPS. L'auteure a conservé l'idée générale du livre et a agrémenté ce nouveau texte de dialogues joués par des comédiens professionnels, France Castel et Robert Maltais. Lise Bourbeau fait elle-même la narration de cette cassette à découvrir et à offrir!

Pour commander voir BON DE COMMANDE page suivante →

CONFÉRENCES SUR CASSETTES

(Seulement 11,56$ *taxes incluses*)

(C-01) La peur, l'ennemie de l'abondance
(C-02) Victime ou gagnant
(C-03) Comment se guérir soi-même
(C-04) L'orgueil est-il l'ennemi premier de ton évolution?
(C-05) Sexualité, sensualité et amour
(C-06) Comment être responsable sans se sentir coupable
(C-07) L'énergie—comment ne pas perdre contact.
(C-08) Le grand amour peut-il durer?
(C-09) Comment s'aimer sans avoir besoin de sucre
(C-10) Comment évoluer à travers les malaises/maladies
(C-11) La peur de la mort
(C-12) La spiritualité et la sexualité
(C-13) Ma douce moitié, la t.v.
(C-14) La réincarnation volet i
(C-15) La réincarnation volet ii
(C-16) La spiritualité et l'argent
(C-17) La spiritualité dans la relation parent-enfant
(C-18) Les dons psychiques
(C-19) Être vrai... c'est quoi au juste?
(C-20) Comment se décider et passer à l'action
(C-21) L'amour de soi
(C-22) La prière, est-ce efficace?
(C-23) Le contrôle, la maîtrise, le pouvoir.
(C-24) Se transformer sans douleur
(C-25) Comment s'estimer sans se comparer
(C-26) Êtes-vous prisonniers de vos dépendances?
(C-27) Le pouvoir du pardon
(C-28) Comment être à l'écoute de son coeur
(C-29) Être gagnant en utilisant le subconscient
(C-30) Comment réussir à atteindre un but
(C-31) Rejet, abandon, solitude
(C-32) Besoin, désir ou caprice
(C-33) Les cadeaux de la vie
(C-34) Jugement, critique ou accusation?
(C-35) Retrouver sa créativité
(C-36) Qui gagne, vous ou vos émotions?
(C-37) Comment aider les autres *(février 91)*
(C-38) Burn-out *(mars 91)*

COMMANDE DE LIVRES ET DE CASSETTES

Qté	Code	Qté	Code

Cassette de conférence: 11,56$
Livre ÉCOUTE TON CORPS: 16,00$
Cassette ÉCOUTE TON CORPS: 13,81$
Toutes les taxes sont incluses

Total de votre commande:

Sous-total: ______

Manutention: 2,89

TOTAL: ______

Dans le coût total les taxes sont déjà incluses.

Commander par téléphone (514)382-7361 ou sans frais 1-800-361-3834 payer par VISA ou MASTERCARD, ou poster un chèque ou mandat-poste à l'ordre de ÉCOUTE TON CORPS, 9675 Papineau, #380, Mtl. (Qc), H2B 1Z5.

VISA ______ No. Carte ______
MasterCard ______ Date d'expiration ______
Signature ______

Nom: ______

Adresse: ______ App.: ______

Ville:Province: ______ Tél.( ) ______

Code postal: ______

INDEX
(malaises, maladies et morphologie)

A

B

INDEX
(malaises, maladies et morphologie)

F

G

INDEX
(malaises, maladies et morphologie)

H

I

J

K

L

M

INDEX
(malaises, maladies et morphologie)

N

O

P

INDEX
(malaises, maladies et morphologie)

R

S

T

U

INDEX
(malaises, maladies et morphologie)